ISRAEL IN PROPHECY

THE MIRACLE OF ZION

DR. PETER GAMMONS

Unless otherwise indicated, Biblical Quotations are from the Authorised (King James) Version

ISBN 1 898400 03 2

ACKNOWLEDGMENTS

The Publishers wish to express their thanks and appreciation to the archives, institutions and personalities who have allowed them to use their photographs:

Jerusalem:
The Central Zionist Archives; The Jewish National and University Library - Manuscripts and Circulation Departments; The Hebrew University; The Israel State Archives: The Israel Museum; Yad Ben-Zvi; The Jerusalem Municipality Historical Archives; The Harry S. Truman Research Institute; and the Israel Television Archives.

Tel Aviv;
The Government Press Office; The Hagana Archives; The Archives and Museum of the Jewish Labor Movement; The Jabotinsky Institute; The Tel Aviv Museum; Ha'aretz Museum; The Nahum Goldmann Museum of the Jewish Diaspora; The Weizmann Institute; and The Haifa Municipality Historical Archives.

CONTENTS

The purpose of this book:

To highlight the debt of love that Christians have to Israel.

To acknowledge God's unique relationship with the Jewish people.

To affirm our confidence in the God of Abraham, Isaac and Jacob.

To prove the divine inspiration of the Book of Books.

To further promote co-operation, respect and love.

To offer a sincere apology for the tragic years of misunderstanding and anti-Semitism.

To highlight the amazing accuracy of Bible Prophecy.

> "I am so thankful for the Christian friends we have. We live in difficult times....the friendship between Christians and the Jewish people is a new phenomenon of our times. It is indeed the beginning of the redemption of Israel."
>
> ***Prime Minister Begin***

1

AN EVERLASTING COVENANT

The Bible is no ordinary book. It is not a dry history book, merely recording events of the past, it is an exciting, living, divinely-inspired, truth-packed Book that can change your life.

In this book, I want to show you three major events of the past century, all of which were foretold in the Book of Daniel to the exact year! For example, thousands of years in advance God's Word accurately foretold the exact years when Israel would be restored to her land and how and when her Holy City, Jerusalem, would be restored to her.

Many have read Daniel's prophecies and thought, "I wonder what that is all about?" Yet, prophecy is not recorded to confuse us. Did you know that Daniel was prophesying about events that have taken place during the lifetime of many that are reading these words? Passages written thousands of years ago concerning Israel, have been fulfilled before our eyes to the minutest detail.

After the destruction of Jerusalem in 70 AD, the Romans renamed this land 'Palestinia'. However, God has not forgotten His promises. Our God is a covenant-keeping God. He made an 'everlasting covenant' with Abraham and his descendants and He will not break it.

Let me give you an example. If you were kidnapped and then returned to your home to find that someone else was now living there, would it mean that your home no longer belonged to you? Just because their land was forcefully taken and its name changed, does not mean that Israel no longer has any rights to this land. **The land of Israel is in fact, the only land specifically given to a people by God. What other land can make the claim that God Himself specified that it was given 'forever,' as an 'eternal inheritance'?**
"And the Lord said unto Abram, after that Lot was separated from him,

Lift up now thine eyes, and look from the place where thou art northward, and southward, and eastward, and westward: ALL THE LAND WHICH THOU SEEST, TO THEE WILL I GIVE IT, AND TO THY SEED FOREVER."

Genesis 13 vv. 14-15

"In the same day the Lord made a covenant with Abram, saying, UNTO THY SEED HAVE I GIVEN THIS LAND, from the river of Egypt unto the great river, the river Euphrates..."

Genesis 15 vv. 18-21

"He is the LORD our God: His judgements are in all the earth. He hath remembered His covenant FOREVER, the word which He commanded to a THOUSAND GENERATIONS: which COVENANT He made with Abraham, and His OATH unto Isaac; And confirmed the same unto Jacob for a law, and to Israel for an EVERLASTING covenant: saying, Unto thee will I GIVE the land of Canaan, the lot of your inheritance."

Psalm 105 vv. 7-11

Psalm 105 verses seven to eleven combines so many words of solemn commitment: "covenant", "forever", "commanded", "thousand generations", "oath", "everlasting covenant" and "inheritance." God could not have used any stronger terms to express His commitment to Israel. An 'everlasting covenant' is one that remains in force **forever**.

If this passage were the only one where God promises the land of Canaan to Israel, then surely this would be sufficient to establish it beyond question. Yet God states the same commitment in more than 40 other places in the Scriptures[1].

---

[1] Genesis. 24 v. 7; 26 v. 3; 50 v. 24; Exodus 6 v. 8; 13 vv. 5, 11; 32 v. 13; 33 v. 1; Numbers 11 v. 12; 14 v. 16; Deuteronomy. 1 v. 8; 6 vv. 10, 18, 23; 7 v. 13; 8 v. 1; 9 v. 5; 10 v. 11; 11 v. 9, 21; 19 v. 8; 26 vv. 3, 15; 28 v. 11; 30 v. 20; 31 vv. 7, 20, 21, 23; 34 v. 4; Joshua 1 v. 6; 5 v. 6; 21 v. 43; Judges 2 v. 1; 1 Chronicles 16 vv. 15 - 18; Nehemiah 9 v. 15; Psalm 105 vv. 8 - 11; Jeremiah 11 v. 5; 32 v. 22; Ezekiel 20 vv. 6, 28-42; 47 v. 14.

2

THE JEWISH IDENTITY

The re-birth of the nation of Israel has to be one of the greatest miracles of all time, a miracle foretold thousands of years ago. It is of incredible significance to Jews and to Christians alike, for every generation of Christians has hoped to see Messiah's return. However, no previous generation has qualified. Although many of the signs that Jesus foretold in anticipation of His return[2] have taken place, we are the first generation to see important Bible prophecies concerning Israel fulfilled.

Some who have read the 'signs' concerning Messiah's coming (earthquakes, wars, apostasy, famines etc.) may try to dismiss talk of His imminent return by saying that there have always been examples of these occurrences throughout history. **However, the prophecy concerning the return of Israel to her homeland is a unique prophecy which has been fulfilled in our day and which has never happened during the nineteen centuries since her dispersal.**

REPLACEMENT THEOLOGY?

Some have taught that God has now finished with Israel and has turned His attention solely towards the Church. This is known as Replacement Theology. However, rather than suggesting that God has finished with Israel or that the Church has replaced her, Paul wrote,

"Brethren, my heart's desire and prayer to God for Israel is, that they might be saved."

Romans 10 v. 1

Earlier, Paul writes,

"For I could wish that myself were accursed from Christ for my brethren, my kinsmen according to the flesh: Who are Israelites; to whom pertaineth the adoption, and the glory, and the covenants, and

2. Matthew 24

Young people dance in the streets of Jerusalem as the Jewish State is born. Golda Meir announced:

"For two thousand years we longed for deliverance. We awaited this great day with awe. Now that it is here it is so great and wondrous that it surpasses human expression."

the giving of the law, and the service of God, and the promises; Whose are the fathers, and of whom as concerning the flesh Christ came, who is over all, God blessed for ever. Amen."

Romans 9 vv. 3-5

Notice that in Romans 9 v. 4 Paul points out that to Israel "belong the adoption, the glory, the covenant, the law, the priestly service and the promises." He then goes on to say that also to Israel belong the Patriarchs (fathers) and above all, the Messiah (v. 5).

As Jesus put it to the Woman of Samaria, "Salvation is of the Jews" (John 4 v. 22).

Christians owe their total spiritual inheritance to Israel. If there were no Jews there would be no salvation, no patriarchs, no prophets, no Bibles, no Apostles and above all, no Savior.

Except for a brief visit by Joseph, Mary and the infant Jesus to Egypt, all of the events in the Gospels took place in Israel. Over ninety percent of the people portrayed in the gospels were Israelites (with a few exceptions such as the Magi from the east, the Samaritan woman at the well and a sprinkling of Roman officials). All twenty seven books of the New Testament were authored by an Israelite.[3] All twelve of Jesus' Apostles were Jewish. What is more, Jesus' identity as an Israelite did not cease with the end of His earthly life, for in Revelation 5 v. 5 He is still described in Heaven as **"the Lion of the tribe of Judah, the root of David."**

Some Christians have described the church as the 'New Israel' or 'Spiritual Israel.' Yet these are not Biblical terms.[4] They are man-invented terms and ideas that go back to people like Augustine, Origen and Luther.

Part of the confusion was caused by a misunderstanding of Galatians 6 v. 16. The Greek word for, "even to the Israel of God" is "Kai". The standard

3. Although a question could be raised concerning Luke, it is generally accepted that Luke was a Gentile convert to Judaism.

4. Though I am majoring in this book on God's promises to Israel, the comment is worth mentioning here that God's purpose is to bless the descendants of Ishmael too. In Genesis 17 vv. 19 - 20 God says, "I will establish my covenant with Isaac as an everlasting covenant...... as for Ishmael I will bless him......he shall become the father of 12 princes." The specific covenant promise to the Jews regards the land of Canaan, however there is also a promise of blessing for the Arab states which are more than 500 times the land area of Israel.

translation of this word in the New Testament is “And” (as in NEB and NESB). This verse would then read “And the Israel of God,” pointing to a different and an additional group of people. This becomes clearer when the verse is read in its context. Paul is warning of the Judaisers who were pressurising the Gentile believers to be circumcised (Galatians 6 vv. 13 - 16). Paul responds by saying that he wants peace and mercy between both groups, the Gentile and Jewish believers. This is the only verse in the New Testament which could in any way be taken to imply that the Church is “the new Israel”. The accepted principle for understanding scripture is that the plain teaching of the Bible should explain the obscure and not the other way round. **The term 'Jew' appears around 191 times in the New Testament and is never used to describe a Gentile.**

It is interesting that 'Christian' was not a name used by the early church, it was a title given them by their enemies! They just called themselves, 'followers of the way'. They did not see themselves as 'converts to Christianity', which is a Gentile concept, but complete or fulfilled Jews.

In each of the seventy-nine times that the term ‘Israel’ is used in the New Testament, it is used in the same way that it is used throughout the Old Testament to refer to the physical descendants of Abraham. The identity of the descendants of Abraham, Isaac and Jacob has never changed.

It is no wonder that many precious Jewish people have been slow to acknowledge Yeshua (Hebrew for Jesus), for much of the persecution of the Jewish people has had its roots in this unbiblical Replacement Theology.

Some German generals actually quoted from Luther’s commentaries to justify the holocaust. Today we know that Hitler was an evil man, deeply involved in witchcraft. The Jews, however, think of Hitler as a ‘baptised Catholic.’ We know that these Nazi Generals were evil, demon-possessed men, but how do the Jewish people know unless Christians now demonstrate God’s love?

Far from being ‘Christian’, Hitler was almost as anti-Christian as he was anti-Jewish. He announced to his generals his evil plan of wiping out all committed Christians after annihilating the Jewish race. Though the world today knows of the mass extermination of the Jewish people under

Hitler's evil regime, it is a less known fact that many evangelical Christians were imprisoned and died under the hands of the Nazis. Hitler made it clear in his speeches at the famous Youth Rallies, that Christ's teachings on love were incompatible with the Nazi goals. He gave the youth a choice between being Nazis or Christians. The major influences on Hitler were also anti-Christian, namely, Nietzsche and his thoughts on the Super-man and Darwin's thoughts about evolution, natural selection and the survival of the fittest.

Some misguided people have said, "The Jews have suffered because they rejected and crucified Jesus." However, the New Testament is clear that it was our sins that crucified Jesus. It was for the sins of the **world** that He died. As Christians we owe Israel a debt of love.

Just in case the Roman believers to whom Paul was writing were not yet convinced of Israel's continued importance to God, he went on to say:

"I say then, Hath God cast away his people? God forbid. For I also am an Israelite, of the seed of Abraham, of the tribe of Benjamin."

Romans 11 v. 1

Isn't that clear? "God hath not cast away His people."

Other translations of this verse put it this way:

"By no means!" (NIV, RSV)

"I can't believe it." (NEB)

"Certainly not!" (GNB, Amplified, Phillips)

"Of course not!" (Jerusalem)

It is also interesting to note in Romans 11 v. 1, that Paul does not say, "I was an Israelite," but "I am an Israelite." It is a misconception that one cannot be both Jewish and a believer in Yeshua.

Again, just in case they had still missed it, Paul re-emphasises:
"God hath not cast away his people which he foreknew."

Romans 11 v. 2

Israel is still "beloved for the fathers' sakes" (v. 28). Why is this? "For the gifts and calling of God are without repentance (irrevocable)" (v. 29). This verse has been used in many contexts, but its actual context is in reference to God's commitment to Israel.

"For this is my covenant unto them, when I shall take away their sins. As concerning the gospel, they are enemies for your sakes: but as touching the election, they are beloved for the fathers' sakes. For the gifts and calling of God are without repentance."

Romans 11 vv. 27-29

God's covenant with Israel is eternal and His commitment to her unchanging.

3

THESE BONES SHALL LIVE

Jesus prophesied the restoration of Israel almost two thousand years ago when He warned of the coming destruction of Jerusalem and of Israel's dispersal.

"And when He was come near, He beheld the city, and wept over it, saying, If thou hadst known, even thou, at least in this thy day, the things which belong unto thy peace! but now they are hid from thine eyes. For the days shall come upon thee, that thine enemies shall cast a trench about thee, and compass thee round, and keep thee in on every side, And shall lay thee even with the ground, and thy children within thee; and they shall not leave in thee one stone upon another..."

Luke 19 vv. 41-44[5]

"And they shall fall by the edge of the sword, and shall be led away captive into all nations: and Jerusalem shall be trodden down of the Gentiles, until the times of the Gentiles be fulfilled."

Luke 21 v. 24

Notice that term, *"until the time of the Gentiles be fulfilled,"*[6] for it is very significant. Barely 40 years after Jesus spoke these words, Titus and his Roman army encircled Jerusalem and the city was taken in a ruthless slaughter. One million Jews perished by the sword and by crucifixion. Two million were dragged off in chains as slaves throughout the Roman Empire. Jerusalem was destroyed and a new Roman city constructed upon the site, with a temple to Jupiter built on the Temple Mount and the land renamed

After the fall of Jerusalem in 70 AD, a small group of Jewish zealots managed to hold out for a further two years at the massive fort of Masada which looms 1400 feet above the Dead Sea shore. King Herod (37 - 4BC), wracked by fear, had built this massive fortification with its 37

5. See also Mark 13 vv. 1-2
6. Luke 21 v. 24. The word 'Gentile' in Scripture represents all people other than the Jews

towers, opulent palaces and lodgings for up to 1000 soldiers, as a royal sanctuary in case of war. Finally, the tenth Roman legion, under Lieutenant Flavius Silva crushed the resistance by using Jewish slaves to construct a ramp of beaten earth and stone up the western side and breaking down the walls with a battering ram. Rather than becoming the slaves of Rome and witnessing the rape and abuse of their wives and children, the company of Jews who had bravely held out committed mass suicide.

However, before their demise, they buried in the synagogue a scroll, only recently uncovered during archaeological excavations. The scroll had the words of the prophecy of Ezekiel 37 on it, a sign of their belief that the dead bones of Israel would live again and that one day the nation of Israel would be miraculously resurrected.

"The hand of the LORD was upon me, and carried me out in the Spirit of the LORD, and set me down in the midst of the valley which was full of bones,
And caused me to pass by them round about: and, behold, there were very many in the open valley; and, lo, they were very dry.
And he said unto me, Son of man, can these bones live? And I answered, O Lord GOD, Thou knowest.
Again he said unto me, Prophesy upon these bones, and say unto them, O ye dry bones, hear the word of the LORD.
Thus saith the Lord GOD unto these bones; Behold, I will cause breath to enter into you, and ye shall live:
And I will lay sinews upon you, and will bring up flesh upon you, and cover you with skin, and put breath in you, and ye shall live; and ye shall know that I am the LORD.
So I prophesied as I was commanded: and as I prophesied, there was a noise, and behold a shaking, and the bones came together, bone to his bone.
And when I beheld, lo, the sinews and the flesh came up upon them, and the skin covered them above: but there was no breath in them.
Then said he unto me, Prophesy unto the wind, prophesy, son of man, and say to the wind, Thus saith the Lord GOD; Come from the four winds, O breath, and breathe upon these slain, that they may live.
So I prophesied as he commanded me, and the breath came into them,

and they lived, and stood up upon their feet, an exceeding great army.
Then He said unto me, Son of man, these bones are the whole house of Israel: behold, they say, Our bones are dried, and our hope is lost: we are cut off for our parts.
Therefore prophesy and say unto them, Thus saith the Lord GOD; Behold, O my people, I will open your graves, and cause you to come up out of your graves, and bring you into the land of Israel.
And ye shall know that I am the LORD, when I have opened your graves, O my people, and brought you up out of your graves,
And shall put my Spirit in you, and ye shall live, and I shall place you in your own land: then shall ye know that I the LORD have spoken it, and performed it, saith the LORD."

Ezekiel 37 vv. 1-14

The overthrow of Masada brought an end to the nation of Israel, but this was not the end of Jerusalem's troubles. Since that time, it has been overthrown 40 times.
After the fall of Jerusalem in 70 AD, the land remained under Roman rule until a young Arab by the name of Mohammed, sponsored by the rich widow that he had married, proclaimed a new religion called Islam. When Mecca rejected his teachings, he retreated to Medina and formed an army, so that he could return to Mecca to enforce his teachings by military might. The use of military might to spread the message of Islam became one of the religion's foundation stones. By 634 AD Mohammed's army had advanced to south of the Sea of Galilee and within a year had over-run Jerusalem. The land remained under Muslim domination until the Crusaders stormed in from the sea and re-captured Jerusalem in 1099. It was one of the bloodiest battles of history. In 1291 the Crusaders lost their foothold to the Muslims once again. In 1516 the Holy Land was overtaken by the Marmalukes and this time became a part of the Turkish empire.

Since Jerusalem was overthrown in 70 AD no people have been so consistently persecuted, oppressed, mistreated and rejected as the Jewish people. Thankfully, because of their respect for God's laws, very few intermarried and so they managed to retain their identity, clinging to the hope that one day they might return to their homeland, just as God had promised (Isaiah 49 v. 22, Jeremiah 16 vv. 14 - 15; 31 vv. 8 - 9, Amos 9 vv. 14 - 15).

Some have suggested that all the prophecies concerning the restoration of Israel to her home land were fulfilled under the leadership of Nehemiah and Ezra. Yet this partial return fell far short of the glory promised by the Lord through His prophets. What is more, that return was extremely short lived, with Israel soon falling under the oppressive yoke of the Greeks and then the Romans.

The destruction of Jerusalem in 70 AD must have appeared like a final death blow to many of the Jewish people. However, for almost two thousand years the Jewish people scattered over the whole earth have never forgotten God's promises that one day their land would be restored to them and their sovereignty renewed.

Although the possibility of Jerusalem being rebuilt and becoming a resurrected nation must have seemed remote, every Passover for nearly two thousand years, the Jews have continued to repeat in the Diaspora, "next year in Jerusalem", expressing their hope that they would celebrate the feast in Israel.

Let us go back to the words of Jesus about the restoration of the land to Israel.

"And they shall fall by the edge of the sword, and shall be led away captive into all nations; and Jerusalem shall be trodden down of the Gentiles, until the times of the Gentiles be fulfilled."

Luke 21 v. 24

We have already noted Jesus' use of the word 'until.' Jerusalem would be trodden down by the Gentiles 'until' the time is fulfilled. At that time, the Jews would then return to their own homeland. For nearly two thousand years Jerusalem remained trodden underfoot by the Gentiles. After the Romans had ruled, the Muslims, the Arabs and the Turks took control. However, we are now living in the time which Jesus foretold all those years ago.

Key events have taken place and Bible prophecies have been fulfilled in the lifetime of many of those reading this book. Let us look at just three of them. They happened in 1917, 1948 and in 1967.

4

1917
THE LIBERATION OF CANAAN

During World War I, when Britain and her allies were critically short of explosives, Dr Chaim Weizmann, a Jewish scientist who was then a British subject, presented the Government with the formula for T.N.T. Weizmann's discovery came at one of Britain's worst hours during the war and solved the problem of the shortage of acetone for the manufacture of ammunition.

In recognition of his services the British suggested a royal honour. Weizmann politely refused. "There is nothing I want for myself", he said. "I would like you to do something for my people." As he had done in 1906, Weizmann again explained about the Zionist vision and the desire to make Palestine a Jewish homeland again. The result was that on 2nd November 1917 British Foreign Secretary, Arthur J. Balfour, made the following declaration in the form of a letter to Lord Rothschild, whose family were leading Zionists.

"His Majesty's Government view with favour the establishment in Palestine of a national home for the Jewish people, and will use their best endeavours to facilitate the achievement of this object."

On 11th December 1917 General Allenby led his troops into Jerusalem and Great Britain liberated Palestine from the rule of the Turks, opening the way for the Jews to return to their homeland.

The *Jewish Chronicle* hailed the liberation as "A new epoch for our race. The Jew is to be given the opportunity whereby he can become a nation. The day of his exile is to be ended."

Isaiah's prophecy concerning God's defence of Jerusalem was fascinatingly fulfilled;

Foreign Office,
November 2nd, 1917

Dear Lord Rothschild,

I have much pleasure in conveying to you, on behalf of His Majesty's Government, the following declaration of sympathy with Jewish Zionist aspirations which has been submitted to, and approved by, the Cabinet

"His Majesty's Government view with favour the establishment in Palestine of a national home for the Jewish people, and will use their best endeavours to facilitate the achievement of this object, it being clearly understood that nothing shall be done which may prejudice the civil and religious rights of existing non-Jewish communities in Palestine, or the rights and political status enjoyed by Jews in any other country"

I should be grateful if you would bring this declaration to the knowledge of the Zionist Federation.

Y. sincerely

Arthur James Balfour

The Balfour Declaration

"As birds flying, so will the Lord of hosts defend Jerusalem; defending also He will deliver it; and passing over He will preserve it."

Isaiah 31 .v 5

The Turks were determined to defend Jerusalem to the last man. So, wishing to be spared the horrors of a siege, Allenby knelt in his tent and prayed that God would make the battle unnecessary. The next day he sent scouting planes to the area. Having never seen planes before, the Turks quickly evacuated the area, without a single shot being fired.

Was this a fulfilment of Daniel 12 v. 12?

"Blessed is he that waiteth, and cometh to the thousand three hundred and five and thirty days."

Daniel 12 v. 12

This 1335 day Divine Time Measure was amazingly fulfilled on the 'year for a day' principle of Ezekiel 4 v. 6. The 'Daily Commentary', published by 'Scripture Union' in Great Britain, has this to say (Volume 2, page 413) on Daniel 12 v. 12:

"This remarkable book (Daniel) ends with figures and dates that are not easy to decipher. One at least is absolutely LITERAL, or else the most curious coincidence in history. This is the figure in verse 12 of 1335 days. General Allenby captured Jerusalem in the year 1335 according to the Muslim calendar which was the one used by the Turks, who at that time held Jerusalem. This was 1917 in our era, and marked the FIRST STEP in the liberation of Israel's land".

UNTIL THE YEAR 1917 THE TURKS RECKONED BY THE LUNAR TIME AND COINS MINTED IN THAT YEAR OF LIBERATION ACTUALLY BEAR THE ARABIC DATE 1335!

With the surrender of Jerusalem on December 9th 1917, four hundred years of Turkish domination came to an end. As Allenby reached the Jaffa Gate he dismounted, so that he could enter the old city as a 'pilgrim' and not as a 'conqueror.'

The arrival at Jaffa in July 1920 of the High Commissioner Sir Herbert

Samuel, himself a Jew, was seen by some as very significant, for he was the first Jewish ruler in the land in 1900 years. Yet this failed to cause the Jewish people to return en-masse to the land. As Chaim Weizmann asked in his famous speech: "Jewish people, where are you?" At this time most European Jews saw no real need for a homeland and were happy living as Germans, Frenchmen and Englishmen. However, the false charges of espionage against Captain Dreyfus caused a ripple of anti-semitism in France, which began to make some uncomfortable.

Even more alarming was the emergence of a new political figure in Germany, an active occultist by the name of Adolf Hitler. At first he was given little credibility, with his party being regarded as 'a strange group of people' and Nazism as 'a passing phenomenon.' However, his appointment as Chancellor of Germany after the 1933 election put an end to democracy and introduced the cruellest and most barbaric power in history. His anti-Semitic rantings were now no longer seen as an idle threat. Immediately upon his appointment, he began a systematic persecution of the Jewish people, burning their books, barring Jewish lawyers, dismissing Jewish professors from universities and revoking their German citizenship.

Recognising the danger, some of the Jewish people began to leave Europe. 1935 saw 69,000, the largest number of immigrants ever to reach Palestine. Tel Aviv, which had been home to just 50,000 people four years earlier, now tripled in size. 1936 saw another 30,000 Jews make their way to Palestine, bringing the total Jewish population to 400,000. At this point the Arab countries demanded an end to this Jewish immigration and tragically, despite the increased persecution of Jewish people and Hitler's threat to annihilate the Jews of Europe, Britain limited the number of Jewish immigrants.

It was not long before Hitler unveiled his deranged plan to conquer all other nations, declaring that the destiny of all other nations was "to serve the master race."

A new wave of persecution now began, with Hitler forcing the Jewish people to wear badges to identify them, banning them from trading and attending universities and banishing them to the ghettos. Their synagogues were destroyed, their bank accounts robbed and their homes

Allenby dismounts to enter the old city of Jerusalem as a 'pilgrim' and not as a 'conqueror.'

pillaged. **In this satan-incarnate leader, we see the devil's hatred for Israel, for he knows how significant Israel is to God's future purposes.**

Yet this was only the start. Soon the precious Jewish people were rounded up and taken to labour camps. The elderly and the children were destroyed, while the food was rationed in these horror camps to less than the body needs to survive, leading to thousands more dying from starvation. Many were taken to out of the way places, where they were forced to dig trenches which would become their own graves. Then in batches of around 100 at a time, they were marched naked in front of the trenches and machine gunned into these graves. Day by day thousands of people were murdered in this way. Their only 'crime' was that they were Jewish. Vans with hose pipes were used to gas many more as they were being moved to burial sites. Seeking to obliterate the traces of their mass murder, the Germans buried the bodies of those they had murdered. The German master-butcher Himmler boasted, "The destruction of the Jewish people, this glorious chapter in our history, will never be told to the world." Ironically, the photographs taken by the soldiers as sick souvenirs ensured the world discovered the horrific truth.

These are events that I do not like to mention. I find it hard to conceive that human beings in this century in Europe, could be so cruel and barbaric. Nevertheless, the story must be told in honor of those whose lives were taken and to help prevent a repeat of these events.

Despite the fact that thousands of precious Jewish people were being murdered every day, Hitler was eager to complete his devilish goal to wipe out the Jewish race completely. Massive aluminium gas chambers were built where thousands at a time could be exterminated. The Yad Vashem Holocaust museum in Jerusalem is a stark and moving reminder of the depths of depravity to which mankind has sunk, even in the lifetime of many of those reading these words.

In all, more than six million Jews were massacred in cold blood, one third of the Jewish people, including one and a half million children.

It would be wrong to think that it was true Christians who promoted anti-Semitism. History shows the true Christians fighting the Nazis, smuggling food to the Jewish children in the ghettos, hiding Jewish families, helping them to escape and even endangering and losing their own lives to do so. During this terrible and dark period of history there were some glimmers of light, like the Danish rescues, where hundreds of fishing vessels united at night and rescued almost an entire Jewish community.

The survival of the Jews through centuries of exile and dispersion among the nations of the world can be accounted for only by miraculous intervention. Throughout history the arch-enemy of God has tried to annihilate them but ultimately, has always failed. Pharoah could not drown them, Nebuchadnezzar could not burn them, the lions could not eat them, the big fish could not digest them and Haman could not hang them!

"Show me a miracle!" said Frederick the Great to his chaplain.

"Sire, it is the Jews!" answered the Chaplain.

Napoleon, seated around his campfire with his generals before the Battle of the Pyramids, was debating the question of religion. He was asked by his marshals, who were atheists, if he believed there was a God. Napoleon pointed to Marshal Masena, a Jew, and said: **"Gentlemen, there is the unmistakable argument that there is a God."**

"I hereby declare the establishment of a Jewish State in Eretz Israel, being known as the State of Israel."
David Ben-Gurion
14th May 1948

5

1948
THE ESTABLISHMENT OF THE STATE OF ISRAEL

The liberation of Europe revealed the tragedy of the Jews to be even more horrifying than the human mind can grasp. The stories that no-one had wanted to believe were now facts and figures. Sadly, bureaucracy and a fear of the Arab nations stopped Britain from opening the gates of the Holy Land to the Jewish refugees. Churchill, who had earlier promised the Jews a home in Israel, procrastinated and despite emerging from the war as one of the greatest victors of history, lost power in the July 1945 elections.

The incoming administration did little more to help, severely limiting the number of Jewish refugees permitted entrance into the Holy Land. The sad scene of boatloads of refugees intercepted by the British Navy and immediately deported back to Europe was a source of international embarrassment. This further highlighted the plight of the Jewish people in their struggle for a homeland.

An American newsreel announced, "Another shipload of human misery sails into Haifa Harbour: a refugee ship brought in by a British boarding party after a two day chase...human beings herded like cattle...the doors of the promised land again closed to the victims of man's inhumanity to man." Perhaps the final outrage was when the British decided to send the Jewish Nazi victims from the intercepted ship *'Exodus'* back to Germany.

In February 1947 Britain submitted the Palestine problem to the United Nations. Whilst five Arab nations were represented there, the Jews, with no state of their own, had limited opportunity to present their case. The Jewish people were therefore very sceptical about whether any real solution would come, right up to the moment that the Soviet Union delegate Mr Andrei Gromyko made his surprise speech concerning ***"the right of the Jewish people to have a state of their own."***

UNITED NATIONS GENERAL ASSEMBLY

November 29, 1947.

VOTING SHEET

Country	Yes	No	Abstain	Absent
AFGHANISTAN		X		
ARGENTINA			*	
AUSTRALIA	✓			
BELGIUM	✓			
BOLIVIA	✓			
BRAZIL	✓			
BYELORUSSIAN, S.R.	✓			
CANADA	✓			
CHILE			*	
CHINA			*	
COLOMBIA			*	
COSTA RICA	✓			
CUBA		X		
CZECHOSLOVAKIA	✓			
DENMARK	✓			
DOMINICAN REPUBLIC	✓			
ECUADOR	✓			
EGYPT		X		
EL SALVADOR			*	
ETHIOPIA			*	
FRANCE	✓			
GREECE		X		
GUATAMALA	✓			
HAITI	✓			
HONDURAS			*	
ICELAND	✓			
INDIA		X		
IRAN		X		
IRAQ		X		
LEBANON		X		
LIBERIA	✓			
LUXEMBOURG	✓			
MEXICO			*	
NETHERLANDS	✓			
NEW ZEALAND	✓			
NICARAGUA	✓			
NORWAY	✓			
PAKISTAN		X		
PANAMA	✓			
PARAGUAY	✓			
PERU	✓			
PHILIPPINES	✓			
POLAND	✓			
SAUDI ARABIA		X		
SIAM				X
SWEDEN	✓			
SYRIA		X		
TURKEY		X		
UKRAINIAN S.S.R.	✓			
UNION OF SOUTH AFRICA	✓			
UNION OF SOVIET SOCIALIST REPUBLICS	✓			
UNITED KINGDOM			*	
UNITED STATES OF AMERICA	✓			
URUGUAY	✓			
VENEZUELA	✓			
YEMEN		X		
YUGOSLAVIA			*	

The United Nations Vote
November 29th 1947

The General Assembly debate concluded with the appointment of a special committee to visit Palestine to view the problem and propose a solution. As a result the committee called for an end of the British Mandate, with the majority of the members of the United Nations recommending the partition of Palestine into both a Jewish and an Arab State, with Jerusalem under special international trusteeship.

On November 29th 1947 Jewish history hung in the balance as the issue of the establishment of a Jewish State in Palestine came to the vote. Jewish people around the world sat transfixed to their radios during the unforgettable broadcast from the United Nations at Flushing Meadows. The vote, which would seal the end of their years of exile, lasted just three minutes as the UN Assistant Secretary General announced:

"Costa Rica?"	"Yes."
"El Salvador?"	abstains.
"Ethiopia?"	abstains.
"France?"	"Yes" (applause).
"United Kingdom?"	abstains.
"United States?"	"Yes."
"Soviet Union?"	"Yes."
"Venezuela?"	"Yes."
"Yemen?"	"No."
"Yugoslavia?"	abstains.
"Afghanistan?"	"No."
"Ukraine?"	"Yes."

Finally the President of the U.N. General Assembly announced:

"The Resolution of the Ad Hoc Committee for Palestine was adopted by 33 votes, 13 against, 10 abstentions."

There were joyous outbursts and dancing in the streets throughout the Holy Land. Newspapers carried the bold headlines, **"A Jewish State."**

Golda (Meyerson) Meir addressed the Jewish people from the balcony of the Jewish Agency building in Jerusalem announcing, *"For two thousand years we longed for deliverance. We awaited this great day with awe. Now that it is here it is so great and wondrous that it surpasses human expression."*

Many tears were shed as Hatikvah was sung. The words, "to be free people in our own land...." acquired a new meaning.

Friday May 14th 1948 not only saw the end of 30 years of British rule in the Holy Land, but also the establishment of the State of Israel. It was a great day for Israel as David Ben-Gurion read from the Declaration of Independence:

"Eretz Israel was the birth place of the Jewish people. Here their spiritual, common, religious and political identity was shaped. Here they first attained to statehood, created cultural values of national and universal significance and gave the world the eternal Book of Books.

After being forcibly expelled from the land, the people kept faith with it throughout their dispersion and never ceased to pray and hope for their return to it and for the restoration in it of their political freedom...... which would open the gates of the homeland wide to every Jew and confer upon the Jewish people the status of a fully-privileged member of the community of nations....... This right is the natural of right of the Jewish people to be masters of their own fate, like all other nations, in their own Sovereign State.

Accordingly we, members of the People's Council, representatives of the Jewish Community of Eretz Israel, JCEI and of the Zionist League, are here assembled on the day of the termination of the British Mandate over Eretz Israel, and by virtue of our natural and historical right and on the strength of the Resolution of the United Nations General Assembly, UNGA, hereby declare the establishment of a Jewish State in Eretz Israel, being known as the State of Israel.....

Placing our trust in the Almighty, we affix our signature to this proclamation of this session of the Provisional Council of State on the floor of the homeland, in the city of Tel Aviv, on the Sabbath eve, the fifth day of Iyar 5708 (14th May 1948)."

After nearly 2000 years of exile the Jews were restored to their land of promise. For the first time in two thousand years parents would be able to bring their children to birth in a free land - their own land - the land to which they had dreamed that one day they would return.

However, not everyone was overjoyed with the U.N. decision! Within hours Arab nations launched an attack, announcing, "This will be a war of annihilation." It would have been, but for a miracle, for Israel's tiny army was massively outnumbered and outgunned. What is more, the United Nations and the West failed to come to Israel's aid. Yet Israel's army fought back. They had something that the Arabs did not have... no choice.

What happened is almost beyond belief! Israel's airforce had begun with a small flying club plane. Her navy consisted of a converted ice-breaker, equipped with two 20mm aircraft canons. These were disguised with papier mache to look like 6" guns and succeeded in fooling their enemies. The Israelis took heavy losses, but they stopped the invasion from the north, east and south. Finally, on the 24th February 1949 an armistice was signed.

The next 18 months saw more than 350,000 Jews pour into Israel from all over the world; 45,000 came from Yemen: 130,000 from Iraq; 33,000 from Turkey; 20,000 from Czechoslovakia; 36,000 from Bulgaria; 7,000 from Yugoslavia; 28,000 from Poland; 35,000 from North Africa; 5,000 from China; a massive exodus flocked from India and other countries, along with survivors from the holocaust returning to the safety of their homeland. Once again Bible prophecy was being fulfilled.

"Thus saith the Lord God. Behold, I will lift up mine hand to the Gentiles, and set up my standard to the people; and they shall bring thy sons in their arms, and thy daughters shall be carried upon their shoulders."

Isaiah 49 v. 22

"Therefore, behold the days come, saith the Lord, that it shall no more be said, The Lord liveth, that brought up the children of Israel out of the land of Egypt; but, The Lord liveth, that brought up the children of Israel from the land of the north, and from all the lands whither He had driven them; and I will bring them again into their land that I gave unto their fathers. Behold, I will send for many fishers saith the Lord

and they shall fish them; and after will I send for many hunters, and they shall hunt them from every mountain, and from every hill, and out of the holes of the rocks."

Jeremiah 16 vv. 14-16

"For lo, the days come, saith the Lord, that I will bring again the captivity of my people Israel and Judah, saith the Lord; and I will cause them to return to the land that I gave to their fathers, and they shall possess it."

Jeremiah 30 v. 3

"Behold I will bring them from the north country, and gather them from the coasts of the earth, and with them the blind and the lame, the woman with child and her that travaileth with child together; a great company shall return thither. They shall come with weeping and with supplications will I lead them; I will cause them to walk by the rivers of waters in a straight way, wherein they shall not stumble; for I am a father to Israel and Ephraim is my firstborn."

Jeremiah 31 vv. 8-9

"And I will bring again the captivity of my people of Israel, and they shall build the waste cities and inhabit them; and they shall plant vineyards, and drink the wine thereof; they shall also make gardens and eat the fruit of them. And I will plant them upon their land, and they shall no more be pulled up out of their land which I have given them, saith the Lord thy God."

Amos 9 vv. 14-15

With more and more Jewish exiles from around the world joining this exodus back to their land, Prime Minister David Ben Gurion quit politics for a while to see the desert, "Blossom like a rose," by bringing thousands of young people to develop the barren Negev. All over Israel new towns and villages began to spring up.

Peace, however, was short lived. The July 1952 military overthrow of King Farouk of Egypt by Gamal Abdul Nasser saw a new, military-minded generation of Arab leaders rising up, intent and united in their desire to see Israel destroyed.

Another battle erupted in 1956 between Israel and Egypt, after President

Nasser evicted the British and French from the Suez Canal and closed the Red Sea to Israeli shipping. Again this tiny nation was victorious, knocking Egypt out and reaching the Canal in only two days. Forty-eight hours later, the war was over, with thousands of Egyptians taken prisoner and only one Israeli captured by Egypt. Once more, further territory was taken, including virtually all of the Sinai Peninsula, land which Israel voluntarily chose to return.

From all over the world, the Jewish people return to their Promised Land

6

1967
THE RESTORATION OF JERUSALEM

Another major event took place in 1967 - The Six Day War.

Was this again a fulfilment of prophecy? I believe so.

Daniel 8 vv. 13-14 tells us, ***"Then I heard one saint speaking, and another saint said unto that certain saint which spake, how long shall be the vision concerning the daily sacrifice and the transgression of desolation, to give both the sanctuary and the host to be trodden under foot? And he said unto me, Unto two thousand and three hundred days; then shall the sanctuary be cleansed."***

In the book of Daniel we have already seen that a day often signifies a year, so listen to Alan Clark's Commentary written right back in 1825, one hundred and forty two years before this event took place;

"Unto two thousand and three hundred days. I think the prophetic day should be understood here, as in other parts of this Prophet, and must signify so many years. If we date these years from the vision of the he-goat (Alexander's invading Asia, see verses 5-7, 21) this was 3670, BC 334: Add 2,300 from that time we've reached AD 1966 or 141 years from the present AD 1825."

So, according to Alan Clark writing in 1825 purely from the words of Daniel, this cleansing should have taken place in AD 1966. So what went wrong? Great scholar that Clark was, he overlooked the fact that when calculating from BC to AD one year is lost in the overlap. For example, BC 457 to AD 34 is 490 years. So according to Daniel's prophecy the year should be 1967 - the very year, in fact, after almost 2,000 years of exile, that the Jews took over Jerusalem again in the 6 Day War.

Isn't that amazing?

Let us look at another book, one by Bishop Newton, entitled, ***"Dissertations on the Prophecies,"*** completed on October 5th 1754, TWO HUNDRED AND THIRTEEN YEARS BEFORE THE EVENT TOOK PLACE! On pages 286 and 287 he writes:

"Unto 2300 days or years that I conceive they are to be computed from the vision of the he-goat, of Alexander invading Asia, (Alexander the Great was the symbolic 'he-goat' of Daniel 8). Alexander invaded Asia in the year before Christ 3670 (334 BC). 2,300 years from that time...... the Jews are to be restored..... 2,300 days. They cannot by any account be natural days and must needs be prophetic days, or 2,300 years."

On page 28, Bishop Newton relates how the Temple at Jerusalem had already been destroyed for 1700 years in his generation. Then he spoke about the Jews' return and said: ***"They expect and we expect, that at length 'the sanctuary shall be cleansed' and that in God's determined time His promise will be fully accomplished."***

Bishop Newton points out that this Divine Time Measure of 2,300 years began with Alexander the Great's push into Asia Minor in 334 BC, to begin building his great empire in fulfilment of Bible Prophecy. He then concludes that two thousand three hundred years after this starting date we should expect to see it terminate with the Jews restored and Jerusalem back in their hands, thus commencing the cleansing of the sanctuary period. **Two thousand three hundred years from 334 BC brings us to 1967.** During the six-day Arab-Jewish war, June 5th - 10th of that very year, the Jews, as a restored nation, won back Jerusalem! Just as the prophet had foretold!

After an increasing number of terrorist attacks on Israel's borders, Egypt, Jordan and Syria announced that they were preparing for war against their 'common enemy.' President Nasser of Egypt predicted that "Israel would be driven into the sea."

Nasser then threw the U.N. out of the border areas and moved his army into the Sinai desert, signing a pact with Jordan's King Hussain and announcing that "Israel would be completely annihilated." But that did not happen.

On 5th June 1967 Israel pre-empted an Egyptian invasion in a surprise attack that crushed the Egyptian forces, defeating the Syrians in the north and the Jordanians too.

The prophecy of Daniel was fulfilled to the exact year!

In just six days Israel captured the Sinai Peninsular from Egypt, the Golan Heights from Syria and the West Bank from Jordan, including the old city of Jerusalem.

Awe-struck Jewish soldiers stood at the Western Wall praying and crying. Defence minister Moshe Dayan exclaimed, "We have returned to the most sacred of shrines, never to be parted again!" By the end of the Six Day War, Israel occupied an area four times greater than before the hostilities began.

Is this not a miracle, that the Arab states with a collective population of over 200 million failed to conquer this tiny nation of Israel?

Many stories have circulated about miraculous intervention on the battle field. For example, it is reported that two Israeli tanks topped a sand dune in the Sinai Campaign and found themselves facing a complete Egyptian tank unit. The Egyptians stopped, opened their turrets and jumped out and ran. Captured Egyptian soldiers reported, "There were hundreds of Israeli tanks!"

We are living in days when liberal theologians are trying to throw a cloud of doubt upon the inspiration of the Scriptures. Yet, time and again prophecies written thousands of years ago have been fulfilled to the minutest detail. How ridiculous it is to suggest that mere human beings could foretell the destinies of nations thousands of years into the future. This is highlighted by the inability of experts even to predict events days in advance.

Take, for example, U.S. News and World Report (June 12th 1967), which was on the news-stands the day before the Six Day War broke out. The top military experts made twelve prognostications of how the war would end. In all except one of their twelve forecasts, they were wrong! Yet God's Word got it right over two thousand years before the event took place!

The victory of the Six Day War was not the end of Israel's troubles. The following year would bring the two year War of Attrition and 1972 would witness the cold-blooded murder by Arab terrorists of eleven Israeli athletes at the Munich Olympics. In 1973 Israel was attacked again, this time during the Jewish feast of Yom Kippur, as they devoted themselves to fasting and prayer. With no television or radio to warn the Jewish people, the Egyptian forces crossed the Suez Canal and the Syrians invaded the Golan Heights. Once again, despite heavy losses, Israel struck back and repelled their invaders, once more capturing more land.

Today, Jewish people from 120 nations, speaking 83 languages, have made the land of Israel their home again, just as the Word of God prophesied.

"For behold, the days are coming", says the Lord, "that I will bring back from captivity My people Israel and Judah," says the Lord. "And I will cause them to return to the land that I gave to their fathers and they shall possess it."

Jeremiah 30 v 3.

"And it shall come to pass in that day, that the Lord shall set his hand again the second time to recover the remnant of His people, which shall be left from Assyria, and from Egypt, and from Pathros, and from Cush, and from Elam and from Shinar, and from Hamath, and from the islands of the sea."

Isaiah 11 v. 11

Notice the term "a second time." In this prophecy, made before the Babylonian captivity, the prophet foresees that the Jewish people will not just be scattered from their land and re-gathered once, but twice. He looks beyond the Babylonian captivity and their return to Jerusalem, to a second far greater scattering and re-gathering. This conclusion is reinforced by an examination of the list of places from which this second re-gathering will take place; Assyria (now mainly Iraq), Egypt and Pathros (the whole of modern Egypt), Cush (usually identified as Ethiopia), Elam (Iran or Persia), Shinar (also mainly in Iraq today), Hamath (Syria), and from the Islands of the sea (other areas of the world which border onto the oceans. Today we would call them other continents).

This verse cannot possibly be a reference to the Babylonian captivity, for that event in no way fulfilled this prediction. Countries and areas of the earth are specified here from which no Jew returned after the Babylonian captivity. As the prophecy specifies, this is a reference to a future re-gathering after a 'second' scattering.

"He will set up a banner for the nations and will assemble the outcasts (or exiles) of Israel, and gather together the dispersed of Judah from the four corners of the earth."

Isaiah 11 v. 12

Isaiah re-emphasises that this second re-gathering will take place from all four corners of the globe. He then goes on to point out an important difference in her re-gathering from when she went into exile:

"Also the envy of Ephraim shall depart, and the adversaries of Judah shall be cut off: Ephraim shall not envy Judah and Judah shall not harass Ephraim."

Isaiah 11 v. 13

When Isaiah brought this prophecy, the nation had been divided into two kingdoms: the Northern Kingdom which is usually called Israel or Ephraim and the Southern Kingdom named Judah. Much of the time, these two kingdoms were at war with one another. This disunity was one of the major causes of weakness which left them open to invading Gentile empires. First, the Northern Kingdom was taken into exile in Assyria. Then, just over one hundred years later, the Southern Kingdom, Judah, was taken into exile in Babylon. This adds further significance to Isaiah 11 v. 13. Isaiah prophecies that although Israel would go into exile as a divided nation, when this second restoration takes place, they would once again be a single, united nation. This is what we see today. The tribal rivalry of the two kingdoms has ceased. Once again the Jewish people are re-gathered under the name 'Israel.'

Isaiah's prophecy concerning Israel's re-gathering continues in the next verse, with amazing accuracy.

"They will swoop down on the slopes of Philistia to the west; together they will plunder the people to the east. They will lay hands on Edom

and Moab and the Ammonites will be subject to them."

Isaiah 11 v. 14 (NIV)

The Biblical word for 'Philistia' or 'Philistine' is from the same root from which the contemporary words 'Palestine' or 'Palestinian' are derived. When the passage is read this way, we see that this re-gathered nation will swoop down the slopes of Philistia to the West, that is towards Gaza and the Sinai. This of course, is precisely what took place. The prophecy goes on to say that the Israelites would then turn towards the east and mentions three places: Edom, Moab and Ammon. In our day, these three places are all located in one nation: Jordan. Here again we see the amazing accuracy of Bible prophecy thousands of years before the events took place.

"And they will fall by the edge of the sword, and be led away captive into all nations. And Jerusalem will be trampled by the Gentiles, until the times of the Gentiles are fulfilled."

Luke 21 v 24.

THIS FULFILMENT OF PROPHECY IN SUCH MINUTE DETAIL ASSURES US THAT GOD'S WORD IS RELIABLE. THE BIBLE IS INCOMPARABLE WITH ANY OTHER BOOK OR SACRED WRITING. WE CAN GO TO GOD'S WORD AFRESH WITH RENEWED CONFIDENCE. SECONDLY, WE MUST BE READY, FOR ALL OF HISTORY IS HEADING TOWARDS ONE CLIMACTIC EVENT, THE SOON APPEARING OF THE LORD.

"And He shall set up an ensign for the nations, and shall assemble the outcasts of Israel, and gather together the dispersed of Judah from the four corners of the earth."

Isaiah 11 v.12

THE PALESTINE POST

CARL MARX

JERUSALEM

STATE OF ISRAEL IS BOR[N]

The first independent Jewish State in 19 centuries [was] born in Tel Aviv as the British Mandate over Palestine [came] to an end at midnight on Friday, and it was immed[iatel]y subjected to the test of fire. As "Medinat Yisrael" [(State] of Israel) was proclaimed, the battle for Jerusalem [raged], with most of the city falling to the Jews. At the same time, President Truman announced that the United States would accord recognition to the new State. A few hours later, Palestine was invaded by Moslem armies from the south, east and north, and Tel Aviv was raided from the air. On Friday the United Nations Special Assembly adjourned after adopting a resolution to appoint a med[iator] but without taking any action on the Pa[rtition] Resolution of November 29.

Yesterday the battle for the Jerusalem-Tel Aviv [road] was still under way, and two Arab villages were take[n]. [In] the north, Acre town was captured, and the Jewish [forces] consolidated its positions in Western Galilee.

[M]ost Crowded Hours in Palestine's History

JEWS TAKE OVER SECURITY ZONES

Egyptian Air Force Spitfires Bomb Tel Aviv; One Shot Down

U.S. RECOGNIZES JEWISH STATE

WASHINGTON, Sunday

Proclamation by Hea[d] Of Government

2 Columns Cross Southern Border

Etzion Settlers Taken P.O.W.

Special Assembly Adjourns

The Day

דער טאג

"THE NATIONAL JEWISH DAILY"

אידישע מלוכה

פראקלאמירט; נאמען איז „ישראל"

אידישע ארמיי פארנעמט אראבישען פארט עכו

„הגנה" פארנעמט נאך טיילען פון ירושלים

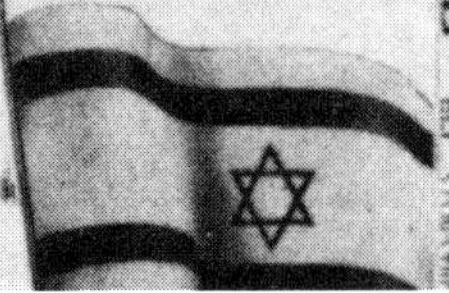

אידען שאפען אף דאס „ווייסע פאפיר"

APPENDIX 1

BLESS ISRAEL

"And I will make of thee a great nation, and I will bless thee and make thy name great: and thou shalt be a blessing. And I will bless them that bless thee, and curse him that curseth thee: and in thee shall all families of the earth be blessed."

Genesis 12 v. 2-3

Pharoah was afflicted for taking Sarai into his palace (Genesis 12 v. 17). Abimelech was blessed when he vindicated Abraham (Genesis 20 vv. 17-18). Egypt was blessed as it 'blessed' Joseph and his family, but experienced cursing as it treated Israel cruelly. God's Word promises blessing to those who bless Israel and cursing to those who curse her. Do those promises of blessings and of cursing still apply today? I believe so. My friend Rob Richards asked the following pertinent questions while teaching at my Bible College.

■ Is it a coincidence that once the Emperor Constantine embarked on his anti-Semitic laws and persecuted the Jews in AD 364, his empire was split in two?

■ Is it a coincidence that Spain's demise as a world power dates from 1492, the year that 300,000 Spanish Jews were expelled?

■ Is it a coincidence that Martin Luther died the very week that he preached his most vitriolic sermon against the Jews?

■ Under Queen Victoria Britain's Empire was the greatest in the world. Was this partly due to Britain's warmth towards the Jewish people? For example, Prime Minister Benjamin Disraeli was himself a Messianic Jew.

■ Was it Churchill's long-standing support for the principle of a homeland for the Jews that caused his emergence from the political wilderness to lead Britain as Prime Minister?

■ Was it his part in the covering up of the extermination of the Jews in

Europe that contributed to his losing the 1945 elections, despite emerging from the war as a hero?

■ Is there a connection between Britain's resistance to the return of the Jews, following the Second World War and the disintegration of her Empire?

■ Was Harry Truman's astonishing victory over Thomas E. Dewey in the November 1948 elections the result of God's blessing on a man who stunned the world by his prompt and surprise recognition of the State of Israel on May 14th 1948, only seconds after David Ben-Gurion's proclamation?

■ Has God's blessing and prospering of the United States been partly the result of her welcoming the Jewish people more consistently than any other nation and affirming the U.S. as a homeland for the Jews?

Interesting questions. The fact is, God promises blessings for those who bless Israel and cursing for those who fail to do so.

"Pray for the peace of Jerusalem: they shall prosper that love thee."
Psalm 122 v. 6

So, for your own sake....bless Israel!

APPENDIX 2

OUR RESPONSE

What should the Christian's response be towards Israel and the Jewish people?

A. To bless Israel (Genesis 12 vv. 2-3).

B. To pray for Israel.

C. To pray for the peace of Jerusalem (Psalm 122 v. 6).

D. To recognise how precious the Jewish people are to God.

E. To appreciate the debt that we have to the Jewish people. They were the recipients of God's Word, from them our Messiah comes and by them we Gentiles first heard the Gospel.

F. To share copies of this book with other members of your church to help believers to understand God's plan for Israel.

G. To repent of any past attitudes, words or actions which may have been at all anti-Semitic.

H. To lovingly dialogue and to sensitively share your faith with Jewish friends (See Romans 10 vv. 14-15). This is very different from proselytising. However, it would be anti-Semitic if you shared your faith with everyone other than Jewish people!

ישראל בנבואה

הנס של ציון

ד"ר פיטר גאמונס

ISBN 1 898400 03 2

הכרת תודה

המוציאים לאור מבקשים להביע את תודתם והערכתם לארכיונים, מוסדות ואנשים, אשר הרשו לנו להשתמש בצילומיהם :

ירושלים :

הארכיון הציוני המרכזי ; הספרייה הלאומית וספריית האוניברסיטה-מחלקת כתבי יד והפצה ; האוניברסיטה העברית ; הארכיון של מדינת ישראל ; מוזיאון ישראל ; יד בן צבי ; הארכיונים ההיסטוריים של עיריית ירושלים ; המכון ע״ש הרי ס׳ טרומן והארכיונים של הטלוויזיה הישראלית.

תל-אביב :

משרד המדפיס הממשלתי ; הארכיונים של ההגנה ; הארכיונים והמוזיאון של תנועת העבודה היהודית ; מוסד ז׳בוטינסקי ; מוזיאון תל-אביב ; מוזיאון הארץ ; מוזיאון יהדות התפוצות ע״ש נחום גולדמן ; מכון ויצמן למדע והארכיונים ההיסטוריים של עיריית חיפה.

תוכן עניינים

המטרה של ספר זה:

להדגיש את חוב האהבה שחבים הנוצרים כלפי ישראל.

להכיר ביחסים המיוחדים שיש לאלוהים עם העם היהודי.

לאשר את בטחוננו באלוהי אברהם, יצחק ויעקב.

להוכיח את ההשראה האלוהית של ספר הספרים.

לקדם עוד יותר שיתוף פעולה, יחסי כבוד ואהבה.

להציע התנצלות כנה עבור השנים הטרגיות של חוסר הבנה ואנטישמיות.

להדגיש את הדיוק המדהים של הנבואה בספרי הקודש.

אני כל כך אסיר תודה עבור החברים הנוצרים שיש לנו. אנו חיים בזמנים קשים... החברות בין נוצרים ויהודים הנה תופעה חדשה של זמננו.
זו באמת תחילת הגאולה של ישראל.

ראש הממשלה בגין

1

ברית עולם

התנ"ך אינו ספר רגיל ואינו ספר היסטוריה יבש, אשר רק רושם מאורעות שהיו בעבר. התנ"ך הנו ספר חי ומרתק, אשר נרשם בהשראה אלוהית, ספר מלא אמיתות אשר יכול לשנות את חייך.

בספר זה, ברצוני להראות לך שלושה אירועים בעלי חשיבות רבה שאירעו במאה שעברה, ואשר ספר דניאל ניבא במדויק את זמן אירועם, עד כדי השנה המדויקת! לדוגמא, אלפי שנים מראש, ספר הספרים נבא במדויק את השנים בהם ישראל תחזור לארצה, ואיך ומתי העיר הקדושה ירושלים תוחזר לה.

הרבה קראו את הנבואות של דניאל וחשבו "אני תמה על מה הוא מדבר?" נבואה לא נרשמה כדי לבלבל אותנו. האם ידעת שדניאל ניבא לגבי מאורעות שאירעו בתקופת החיים של אלו הקוראים מילים אלו? פסוקים שנכתבו לפני אלפי שנים לגבי ישראל, התממשו ממש מול עיננו, לפרטיהם הקטנים ביותר.

אחרי חורבן ירושלים ב-70 לספירה הרומאים שינו את שם הארץ ל"פלסטינה" בתקווה להשכיח את העובדה שזאת הייתה הארץ של ישראל, אולם אלוהים לא שכח את הבטחותיו. אלוהינו הנו אל ששומר על בריתותיו. הוא עשה ברית עולם עם אברהם וצאצאיו והוא לא יפר ברית זו.

אתן לך דוגמא : לו לאחר שנחטפת חזרת לביתך ומצאת כי מישהו אחר שם עכשיו, האם היה זה אומר שביתך עדיין לא שייך לך? רק משום שארץ זו נלקחה בכוח ושמה שונה, אינו אומר שלישראל אין יותר זכויות לארץ זו. למעשה ארץ ישראל הנה הארץ היחידה שניתנה לעם ע"י אליהים. איזו ארץ אחרת יכולה לטעון שאלוהים בעצמו ציין במפורש שהיא ניתנה "לעולם" כ"נחלה נצחית"?

״וה׳ אמר אל-אברם אחרי הפרד-לוט מעמו שא נא עיניך וראה מן-המקום אשר-אתה שם צפנה ונגבה וקדמה וימה: כי את כל הארץ אשר-אתה ראה לך אתננה ולזרעך עד-עולם״

בראשית י״ג, 15-14

״ביום ההוא כרת ה׳ את-אברם ברית לאמור לזרעך נתתי את-הארץ הזאת מנהר מצרים עד-הנהר הגדל נהר-פרת״

בראשית ט״ו, 18

״הוא ה׳ אלהינו — בכל-הארץ משפטיו:
זכר לעולם בריתו — דבר צוה לאלף דור:
אשר כרת את-אברהם — ושבועתו לישחק:
ויעמידה ליעקב לחוק — לישראל ברית עולם:
לאמר לך אתן את-ארץ-כנען — חבל נחלתכם״

תהילים ק״ה, 11-7

בספר תהילים פרק ק״ה, פסוקים שבע עד אחת עשרה משתלבים כל כך הרבה מילים של מחויבות כבדת-משקל: ״ברית,״ ״לעולם,״ ״צוה,״ ״אלף דור,״ ״שבועה,״ ״ברית עולם,״ ו״נחלה.״ אלוהים לא יכול היה להשתמש במילים חזקים יותר להביע את התחייבותו לישראל. ברית עולם היא ברית שנשארת בתוקף לתמיד.

לו פסוק זה היה היחידי בו אלוהים מבטיח את ארץ כנען לישראל, היה זה מספיק להקים זכות זו מעל כל שאלה, אולם אלוהים חוזר על אותה ההתחייבות ביותר מ-40 מקומות נוספים בתנ״ד[1].

---

1 בראשית כ״ד, 7; כ״ו, 3; נ׳, 24; שמות ו׳, 8; י״ג, 5, 11; ל״ב, 13; ל״ג, 1; במדבר י״א, 12; י״ד, 16; דברים א׳, 8; ו׳, 10, 18, 23; ז׳, 13; ח׳, 1; ט׳, 5; י׳, 11; י״ז, 9, 21; י״ט, 8; כ״ו, 3, 15; כ״ח, 11; ל׳, 20; ל״א, 7, 20, 21, 23; ל״ד, 4; יהושע א׳, 6; ה׳, 6; כ״א, 43; שופטים ב׳, 1; דברי הימים א׳ ט״ז, 15-18; נחמיה ט׳, 15; ירמיהו י״א, 5; ל״ג, 22; יחזקאל כ׳, 6, 28-42; כ״ז, 14.

2

הזהות היהודית

הולדתה מחדש של האומה הישראלית הינה בוודאי אחד הנסים הגדולים ביותר בכל הזמנים, נס אשר אודותיו נובא לפני אלפי שנים. האירוע הוא בעל משמעות חשובה באופן שלא יאמן ליהודים ולנוצרים, מאחר שכל דור של נוצרים מקווה לראות את המשיח חוזר. אולם, שום דור קודם לא היה מתאים. אף על פי שחלק גדול מהסימנים שישוע תיאר כמנבאים את חזרתו[2] אירעו, אנו הדור הראשון שרואה התגשמותן של נבואות חשובות בנוגע לישראל.

יש כאלה אשר קראו את ה"סימנים" בנוגע לבואו של המשיח (רעידות אדמה, מלחמות, כפירה, רעב וכו') ובכל זאת מבטלים את האפשרות של חזרתו הקרובה בטענה שבמשך ההיסטוריה תמיד היו דוגמאות של מאורעות מסוג זה. אולם, הנבואה בנוגע לחזרתו של ישראל למולדתו הנה נבואה מיוחדת אשר מומשה בימינו אנו ואשר אף פעם לא ארעה במשך תשע-עשרה המאות מאז פיזורה של אומה זו בגלות.

תיאולוגית ההחלפה?

יש כאלה אשר לימדו שאלוהים בשלב מסוים הפנה עורף לישראל והפנה את תשומת לבו לכנסייה בלבד. אולם, במקום להציע שאלוהים הפנה עורף לישראל או שהכנסייה החליפה את ישראל, פאול (שאול) כתב,

"אחי, חפץ לבבי ותפלתי לאלוהים בעד ישראל אשר יושעו."

אל-הרומאים י', 1

קודם פאול כותב,

"כי מי-יתן היותי אני לחרם מן-המשיח בעד אחי שארי ובשרי ; אשר הם בני ישראל ולהם משפט הבנים והכבוד והבריתות ומתן התורה והעבודה וההבטחות ; ולהם האבות ומהם יצא המשיח לפי בשרו אשר-הוא אלוהים על-הכל מבורך לעולמים אמן."

אל-הרומאים ט', 3-5

---

2 מתי כ"ד

שים לב שבאל-הרמאים ט׳, 4, פאול מסביר שלישראל שייך ״משפט הבנים והכבוד והבריתות ומתן התורה והעבודה וההבטחות.״ הוא ממשיך וטוען שלישראל שייכים האבות ומעל לכל, המשיח (פסוק 5).

כפי שישוע אמר לאישה השומרונית, ״הישועה מן היהודים היא״ (יוחנן ד׳, 22).

הנוצרים חבים את כל המורשת הרוחנית לישראל. אם לא היו יהודים לא הייתה גאולה, לא היו אבות, לא נביאים, לא כתבי קודש, לא שליחים ומעל הכל לא היה מושיע.

חוץ מביקור קצר במצרים ע״י יוסף, מריה (מרים) וישוע התינוק, כל המאורעות המתוארים ב״בשורות הטובות״ התרחשו בישראל. יותר מתשעים אחוז מהאנשים שתוארו בבשורות הטובות היו ישראלים (מספר היוצאים מהכלל כולל את חוזי הכבדים מהמזרח, האישה השומרונית בבאר ומספר פקידים רומאיים). כל עשרים ושבעה הספרים של הברית החדשה נכתבו ע״י בני ישראל[3]. כל שניים עשר השליחים של ישוע היו יהודים. יתרה מזאת, זהותו של ישוע כבן ישראל לא נפסקה עם סיום חייו הארציים, מאחר שבחזון יוחנן פרק ה׳ פס׳ 5 הוא עדיין מתואר בשמיים כ״אריה משבט יהודה, **שורש דוד.**״

מספר נוצרים תארו את הכנסייה כ״ישראל החדשה״ או ״ישראל הרוחנית.״ אולם אלו אינם מונחים של כתבי קודש[4]. אלה הם מונחים, דעות והמצאות אנוש שמקורם באנשים כמו אוגוסטין, אוריגן ולותר.

חלק מהבלבול נוצר מחוסר הבנה של אל-הגלטיים ו׳, 16. המלה היוונית ל״*אפילו* על ישראל השייכים לאלוהים״ היא ״קאי״ (KAI). הפרוש המקובל של המילה הזאת בברית החדשה הוא ״ו״ החיבור. פסוק זה צריך להיקרא ״ועל ישראל השייכת לאלוהים,״ שהוא מורה על קבוצת אנשים נוספת

---

3 אם כי זהותו של לוקס אינה ברורה, מקובל שלוקס היה גוי אשר התגייר.

4 אם כי בספר זה אני מרבה להזכיר את הבטחתו של אלוהים לישראל, כדי להעיר שתכליתו של אלוהים היא לברך את יוצאי חלצו של ישמעאל גם כן. בבראשית י״ז, 19-20, אלוהים אומר ״והקימותי את-בריתי אתו לברית עולם... ולישמעאל... הנה ברכתי אותו... שנים-עשר נשיאים יוליד.״ אבל הברית הספציפית מבטיחה ליהודים את ארץ כנען, אם כי יש גם הבטחה של ברכה למדינות ערב שהן גדולות בשטחן פי 500 משטחה של ישראל.

ושונה. זה נהיה ברור כשהפסוק נקרא בהקשרו, פאול מזהיר מפני הפעלת לחצים על המאמינים הגויים להימול (אל-הגלטיים ו', 13-16). פאול עונה באומרו חהוא רוצה שלום ורחמים בין שתי הקבוצות, המאמינים היהודים והגויים. זהו הפסוק היחיד בברית החדשה שיכול בצורה כלשהי להיות מפורש שהכנסייה הנה ״ישראל החדשה.״ העיקרון המקובל להבנת המקרא הוא שהמובן הפשוט של כתבי הקודש צריך להסביר את המעורפל ולא להפך. המונח ״יהודי״ מופיע כ-191 פעמים בברית החדשה ואף לא פעם אחת מופיע כמתאר גוי.

מעניין לציין כי ״נוצרי״ (״Christian״) לא היה שם שהשתמשה בו הכנסייה הקדומה, זה היה תואר שניתן להם ע״י אויביהם! הם לא ראו את עצמם ״כמומרים לנצרות,״ שהנו מושג לא יהודי, אלא יהודים מלאים שהשלימו את עצמם.

בכל אחת משבעים ותשע הפעמים שהמונח ״ישראל״ מופיע בברית החדשה, הוא מופיע באותו מובן שמשתמשים בו בתנ״ך, דהיינו הצאצאים הפיסיים של אברהם. הזהות של צאצאי אברהם, יצחק ויעקב מעולם לא השתנתה.

אין פלא שהרבה יהודים יקרים התקשו להכיר בישוע, מאחר שחלק גדול של רדיפות האומה היהודית מקורה בתיאולוגית ההחלפה הזו שאין לה כל קשר לדברי הקודש.

חלק מהגנרלים הגרמניים למעשה צטטו מהפרשנות של לותר כדי להצדיק את השואה. כיום אנו יודעים שהיטלר היה אדם אכזר ומעורב בכישוף בצורה מעמיקה. היהודים, לעומת זאת, חושבים את היטלר ל״קתולי שהוטבל.״ אנו יודעים כי הגנרלים הנאציים היו אנשים רשעים, אשר נשלטו ע״י שדים, אך ליהודים יהיה קשה להיווכח בכך רק אלא-אם-כן הנוצרים מפגינים עתה את אהבתו של האלוהים.

היטלר היה כמעט באותו מידה אנטי-נוצרי כפי שהיה אנטי-יהודי. הוא הודיע לגנרלים שלו על תכניתו הרשעה להכחיד את כל הנוצרים המסורים לאחר השמדתו של הגזע היהודי. אם כי העולם כיום יודע על הרצח ההמוני של העם היהודי תחת שלטון הרשע של היטלר, עובדת מעצרם ומותם של מני נוצרים מטיפים תחת ידם של הנאצים פחות ידועה.
בנאומיו בעצרות הנוער הידועות, הבהיר היטלר כי הוראתו של ישוע על אהבה אינה עומדת בקנה אחד עם מטרותיהם של הנאצים. הוא נתן לנוער

ברירה להיות נאצי או נוצרי.

המשפיעים העיקריים על היטלר היו גם הם אנטי-נוצריים, אלו היו ניטשה ומחשבותיו על האדם העליון, ומחשבותיו של דרווין על אבולוציה, הבחירה הטבעית והישרדות החזק ביותר.

מספר אנשים חשבו בטעות: "היהודים סבלו עקב זה שהם דחו וצלבו את ישוע." אולם, הברית החדשה טוענת בבירור שהיו אלו חטאינו שצלבו את ישוע. הוא מת עבור החטאים של העולם. כנוצרים אנו חייבים לישראל חוב של אהבה.

רק במקרה שהמאמינים הרומאיים שאליהם כתב פאול לא היו עדיין משוכנעים בקשר להמשך חשיבותה של ישראל לאלוהים, הוא מצא לנכון להדגיש:

"ובכן אומר אני הכי זנח האלוהים את-עמו? חלילא, כי גם-אנוכי בן ישראל, מזרע אברהם למטה בנימין."

אל-הרומאים י"א, 1

האין זה ברור? "אלוהים לא זנח את עמו."

תרגומים אחרים של פסוק זה אומרים:
"בשום אופן!" (NIV, RSV)
"אני לא מאמין." (NEB)
"בוודאי שלא!" (Amplified, Phillips, GNB)
"כבובן שלא!" (Jerusalem)

מעניין גם לשים לב שבאל-הרומאים י"א, 1, פאול לא אומר "הייתי בן ישראל" אלא "אנוכי בן ישראל." זו טעות לחשוב שאי אפשר להיות גם יהודי וגם מאמין בישוע.

ושוב, רק במקרה שהם עדיין לא תפסו רעיון זה, פאול חוזר ומדגיש:

"לא-זנח האלוהים את-עמו אשר ידעו מקדם."

אל-הרומאים, י"א, 2

ישראל עדיין "חביבים למען האבות" (פס' 28). מדוע זה כך? "כי לא-ינחם האלוהים על-מתנותיו ועל-קריאתו" (פס' 29). השתמשו בפסוק זה הקשרים רבים, אך ההקשר הנכון הוא בעניין התחייבותו של אלוהים לישראל.

"ואני זאת בריתי אותם בהסירי חטאתם : הן לפי הבשורה שנואים הם למענכם אך לפי הבחירה חביבים הם למען האבות : כי לא-ינחם האלוהים על-מתנותיו ועל-קריאתו."

אל-הרומאים, י"א, 27-29

הברית של אלוהים עם ישראל הנה נצחית והתחייבותו אליה בלתי משתנה.

3

העצמות האלו יחיו

לפני אלפיים שנה נבא ישוע על תקומת ישראל כאשר הזהיר על החורבן המתקרב של ירושלים ועל גלות ישראל.

"יהי כאשר קרב וירא את-העיר ויבך עליה לאמר: לו ידעת אף את בעוד יומך הזה את-דבר שלומך ועתה נעלם מעיניך: כי ימים באים עליך ושפכו איביך סוללה סביביך והקיפוך וצרו עליך מכל-עבריך: וסחבו אותך ואת-בניך בקרבך ולא-ישאירו בך אבן על-אבן עקב כי לא ידעת את עת פקודותיך."

לוקס י"ט, 41-44 [5]

"ונפלו לפי-חרב והגלו אל-כל-הגוים וירושלים תרמס ברגלי גוים עד כי ימלאו עתות הגוים."

לוקס כ"א, 24

שים לב למונח *"עד כי ימלאו עתות הגויים,"* [6] מאחר שהוא מאוד משמעותי. פחות מ-40 שנה לאחר שישוע אמר מלים אלו, טיטוס וצבאו הרומאי כתרו את ירושלים והעיר נכבשה תוך הרג חסר רחמים. מיליון יהודים הומתו באמצעות חרב וצליבה. שני מיליון נגררו כבולים בשרשראות כעבדים ברחבי האימפריה הרומית. ירושלים נחרבה ועיר רומאית חדשה נבנתה תחתיה, מקדש של יופיטר נבנה על הר הבית והשם של הארץ שונה.

אחרי נפילת ירושלים ב-70 לספירה, קבוצה קטנה של קנאים יהודים הצליחו להישרד במשך שנתיים נוספות במבצר האדיר של מצדה המתנשא כ-450 מטרים מעל חופי ים המלח. המלך הורדוס (37-4 לפנה"ס), רדוף פחדים, בנה ביצור אדיר זה עם 37 מגדלים, ארמונות ומקומות שינה מפוארים לעד 1000 חיילים כמקום מבטחים מלאכותי בעת מלחמה. בסופו של דבר, הלגיון הרומאי העשירי, בפיקודו של סגן פלביוס סילבה ניפץ את ההתנגדות ע"י שימוש בעבדים יהודים לבניית מעלה משופע מאדמה ואבנים בצד המערבי של מצדה ושבירת החומה ע"י איל מנגח עשוי ברזל.

---

5 השווה מרק י"ג, 1-2

6 לוקס כ"א, 24. בכתבי הקודש המלה "גוי" מייצגת אדם שאינו יהודי

היהודים ביצעו התאבדות המונית על מנת לא ליפול בשבי הרומאים ולצפות באונס ועינוי נשיהם וילדיהם אשר עד אז שרדו בגבורה.

אולם, לפני מותם, הם קברו בבית הכנסת מגילה שהתגלתה רק לאחרונה בחפירות ארכיאולוגיות. המגילה הכילה את דברי הנבואה של יחזקאל פרק ל"ז, סימן לאמונתם שהעצמות המתות של ישראל יחיו מחדש ושיום אחד האומה של ישראל תקום לתחייה במעשה נס.

"היתה עלי יד-ה' ויוציאני ברוח ה' ויניחני בתוך הבקעה והיא מלאה עצמות :
והעבירני עליהם סביב סביב והנה רבות מאוד על-פני הבקעה והנה יבשות מאוד :
ויאמר אלי בן-אדם התחיינה העצמות האלה ואמר אדוני ה' אתה ידעת :
ויאמר אלי הנבא על-העצמות האלה ואמרת אליהם העצמות היבשות שמעו דבר-ה' :
כה אמר אדוני ה' לעצמות האלה הנה אני מביא בכם רוח וחייתם :
ונתתי עליכם גידים והעלתי עליכם בשר וקרמתי עליכם עור ונתתי בכם רוח וחייתם וידעתם כי-אני ה' :
ונבאתי כאשר צויתי ויהי-קול כהנבאי והנה-רעש ותקרבו עצמות עצם אל-עצמו :
וראיתי והנה-עליהם גידים ובשר עלה ויקרם עליהם עור מלמעלה ורוח אין בהם :
ויאמר אלי הנבא אל-הרוח הנבא בן-אדם ואמרת אל-הרוח כה-אמר אדוני ה' מארבע רוחות באי הרוח ופחי בהרוגים האלה ויחיו :
והנבאתי כאשר צוני ותבוא בהם הרוח ויחיו ויעמדו על-רגליהם חיל גדול מאוד מאוד :
ויאמר אלי בן-אדם העצמות האלה כל-בית ישראל המה הנה אומרים יבשו עצמותינו ואבדה תקותנו נגזרנו לנו :
לכן הנבא ואמרת אליהם כה-אמר אדוני ה' הנה אני פתח את-קברותיכם והעליתי אתכם מקברותיכם עמי והבאתי אתכם אל-אדמת ישראל :
וידעתם כי-אני ה' בפתחי את-קברותיכם ובהעלותי אתכם מקברותיכם עמי :
ונתתי רוחי בכם וחייתם והנחתי אתכם על-אדמתכם וידעתם כי אני ה' דברתי ועשיתי נאם-ה'"

יחזקאל ל"ז, 1-14

נפילתה של מצדה הביאה לקיצה את האומה הישראלית, אבל בכך לא הסתיימו הצרות של ירושלים. מאז, ירושלים נפלה 40 פעמים.

לאחר נפילתה של ירושלים ב-70 לספירה, הארץ נשארה תחת שלטון רומאי עד אשר ערבי צעיר בשם מוחמד, שמומן ע״י אלמנה עשירה אותה הוא נשה לאישה, הכריז על דת חדשה ששמה אסלאם. כאשר מכה דחתה את הוראתו, הוא נסוג למדינה והקים צבא כדי שיכול לחזור למכה לכפות את תלמודו בכוח. השימוש בכוח צבאי להפצת המסר של האסלאם הפך לאחת מאבני הפינה של הדת. ב-634 לספירה התקדם צבאו של מוחמד לדרום ים כינרת ותוך שנה השתלט על ירושלים. הארץ נשארה בשליטה מוסלמית עד אשר הצלבנים פרצו מן הים וכבשו את ירושלים ב-1099. זה היה אחד הקרבות היותר עקובים מדם של ההיסטוריה. ב-1291 הצלבנים איבדו את החזקתם למוסלמים פעם נוספת. ב-1516 ארץ הקודש נכבשה על ידי הממלוכים והפכה חלק מהאימפריה הטורקית.

מאז כיבוש ירושלים ב-70 לספירה, שום אומה לא סבלה הפליה, דיכוי, ודחייה כה עקבית כפי שסבלה האומה היהודית. לשמחתנו עקב הכבוד שהם רכשו לחוקי אלוהים, מעט מאוד התחתנו עם לא יהודים וכך הצליחו לשמור על זהותם, תוך דבקות בתקווה שיום אחד הם עשויים לחזור למולדתם, בדיוק כפי שאלוהים הבטיח (ישעיהו מ״ט, 22 ; ירמיהו ט״ו, 15-14 ; ל״א, 8-9 ; עמוס ט׳, 14-15).

היו אלה שהציעו שהנבואות על חזרת בני ישראל למולדת מומשו תחת מנהיגותם של נחמיה ועזרא. אולם, חזרה חלקית זו לא הגיע לדרגת התהילה שהובטחה ע״י אלוהים דרך נביאיו. יתרה מזאת, חזרה זו הייתה קצרה מאוד, עם נפילת ישראל תחת העול המדכא של היוונים ולאחר מכן של הרומאים.

חורבן ירושלים ב-70 לספירה בוודאי נראה היה למספר רב של יהודים כמכת מוות. אולם, במשך כאלפיים שנה היהודים, כשהם מפוזרים על פני העולם כולו, לא שוכחים את הבטחתו של אלוהים שיום אחד-אדמתם תוחזר להם וריבונותם תחודש.

אף כי אפשרות בנייתה מחדש של ירושלים ותחיית האומה וודאי נראה היה רחוק, המשיכו היהודים בכל פסח, במשך כאלפיים שנה בהיותם בגולה לאמור "בשנה הבאה בירושלים," ומביעים את תקוותם לחגוג את החג בישראל.

נחזור כעת למלותיו של ישוע בדבר החזרת הארץ לבני ישראל:

"ונפלו לפי-חרב והגלו אל-כל-הגוים וירושלים תרמס ברגלי גוים עד כי ימלאו עתות הגוים."

לוקס כ"א, 24

כבר הפנינו את תשומת הלב לשימושו של ישוע במלים "עד כי." ירושלים תירמס על ידי הגויים "עד כי" עתותם ימלאו. אז, היהודים יחזרו למולדתם. במשך כאלפיים שנה ירושלים נשארה רמוסה תחת רגלי הגויים. לאחר שלטון הרומאים, המוסלמים, הערבים והטורקים השתלטו עליה. אולם אנו חיים עתה בזמנים שעליהם ניבא ישוע לפני כל כך הרבה שנים.

מאורעות מרכזיים התרחשו והנבואות של כתבי הקודש מולאו במשך חייהם של הרבה מאלו שקוראים ספר זה. בוא נתבונן בשלושה ממאורעות אלו. הם קרו ב-1917, 1948 וב-1967.

4

1917
השחרור של כנען

תוך כדי מלחמת העולם ה-1, כאשר לבריטניה ולבני בריתה היה חוסר קריטי בחומרי נפץ, ד"ר חיים וייצמן, מדען יהודי אשר היה אז אזרח בריטי, הציג לממשלה את הנוסחה לט.נ.ט.. תגליתו של וייצמן ארעה באחת השעות הקשות ביותר של המלחמה עבור הבריטים ופתרה את בעיית המחסור באסטון שהיה נחוץ לצורך ייצור תחמושת.

כהכרה עבור שירותיו, הציעו לו הבריטים אות כבוד מלכותי. וייצמן סירב בנימוס. "אין דבר אשר אני רוצה עבורי," הוא אמר. "הייתי רוצה שתעשו משהו עבור עמי." כפי שכבר עשה ב-1906, וייצמן חזר והסביר את החזון הציוני והתשוקה להפוך שוב את פלסטינה למולדת יהודית. התוצאה הייתה שבשניים בנובמבר 1917, ארתור י' בלפור, שר החוץ הבריטי, הצהיר במכתבו ללורד רוטשילד (משפחתו של רוטשילד היו מנהיגים ציונים) את ההצהרה הבאה:

"ממשלת הוד מלכותו רואה בעין יפה את ייסודו של בית לאומי לעם היהודי בפלסטינה ותפעל במיטב מאמציה להקל השגתה של מטרה זו."

ב-11 בדצמבר 1917, הוביל גנרל אלנבי את חייליו לתוך ירושלים ובריטניה הגדולה שיחררה את פלסטינה משלטון הטורקים, ופתחה את הדרך ליהודים לחזור למולדתם.

"הרשומות היהודיים" הכריזו על השחרור כ"תקופה חדשה עבור הגזע שלנו. ליהודי זריכה להינתן ההזדמנות להפוך לאומה. ימי הגולה צריכים להיגמר."

הנבואה של ישעיהו בנוגע להגנתו של אלוהים על ירושלים הוגשמה באופן מרתק.

Foreign Office,

November 2nd, 1917

Dear Lord Rothschild,

I have much pleasure in conveying to you, on behalf of His Majesty's Government, the following declaration of sympathy with Jewish Zionist aspirations which has been submitted to, and approved by, the Cabinet

"His Majesty's Government view with favour the establishment in Palestine of a national home for the Jewish people, and will use their best endeavours to facilitate the achievement of this object, it being clearly understood that nothing shall be done which may prejudice the civil and religious rights of existing non-Jewish communities in Palestine, or the rights and political status enjoyed by Jews in any other country"

I should be grateful if you would bring this declaration to the knowledge of the Zionist Federation.

Yours sincerely,

Arthur James Balfour

הצהרת בלפור

"כצפרים עפות כן יגן ה' צבאות על-ירושלים גנון והציל פסוח והמליט"
ישעיהו ל"א, 5

הטורקים היו נחושים להילחם על ירושלים, עד טיפת דמם האחרונה. לעומתם אלנבי כרע ברך באוהלו והתפלל שאלוהים יחסוך מהם את הצורך בקרב ובזוועות המצור. למחרת הוא שלח מטוסי ריגול לאזור. הטורקים שעד כה לא ראו מטוסים במהירות עזבו את האזור מבלי שנורתה אפילו ירייה בודדת.

האם הייתה זו הגשמה של דניאל י"ב, 12?

"אשרי המחכה ויגיע לימים אלף שלוש מאות שלושים וחמשה"
דניאל י"ב, 12

היום ה-1335 "במדידת הזמן האלוהי" התגשמה באופן מדהים על פי העקרון של "שנה עבור יום," המצוטט ביחזקאל ד', 6. ה"דיילי קומנטרי" אשר פורסם בבריטניה ע"י "סקריפטשר יוניון," אומר דברים אלו (כרך 2, עמוד 413) בקשר לדניאל י"ב, 12 :

"ספר ראוי לציון זה (דניאל) מסתיים עם מספרים ותאריכים שאינם קלים לפענות. אחד לפחות הוא לגמרי מילולי, או שזה צרוף המקרים המסקרן ביותר בהיסטוריה. זהו מספר של 1335 ימים המופיע בפסוק 12. גנרל אלנבי כבש את ירושלים בשנת 1335 לפי לוח השנה המוסלמי שהיה לוח השנה בו השתמשו הטורקים, אשר באותו זמן הזחיקו בירושלים. זה היה ב-1917 למניינו, וסימן את הצעד הראשון בשחרורה של אדמת ישראל."

עד לשנת 1917 הטורקים נהלו את חייהם לפי זמן לבנה ומטבעות אשר צורפו בשנה זו של השחרור נושאים את התאריך הערבי של 1335!

עם כניעתה של ירושלים בתשיעי לדצמבר 1917, הגיעו לסיומם ארבע מאות שנים של שליטה טורקית. כאשר אלנבי הגיע לשער יפו הוא ירד מסוסו, כדי שיוכל להיכנס לעיר העתיקה כ"צליין" ולא כ"כובש."

ההגעה ליפו של הנציב העליון, סיר הרברט סמואל, בעצמו יהודי, ביולי 1920 נראתה ע"י רבים כמשמעותית ביותר מאחר שהוא היה השליט היהודי הראשון בארץ מזה 1900 שנים. אולם, מאורע זה לא גרם ליהודים לחזור לארץ בהמוניהם. כפי שחיים וייצמן שאל בנאומו המפורסם :

"אנשים יהודים היכן אתם?" בזמן זה רוב היהודים האירופאים לא ראו צורך אמיתי למולדת והיו מרוצים לחיות כגרמנים, צרפתים ואנגלים. אולם, האשמות השווה של ריגול נגד קפטיין דרייפוס גרמה לגל של אנטישמיות בצרפת, אשר התחילה לגרום לתחושות של חוסר נוחות.

יותר מדאיגה, אפילו, הייתה ההופעה של דמות פוליטית חדשה בגרמניה, בשם אדולף היטלר, שעסק בכושוף באופן פעיל. בתחילה ייחסו לו אמינות מועטת, ומפלגתו נראתה כ"חבורת אנשים מוזרה" והנאציזם נראה כ"תופעה חולפת." אולם התמנותו לקנצלר של גרמניה לאחר הבחירות של 1933 סימנה את סיום הדמוקרטיה והציגה את השלטון המרושע והכוח הברברי ביוונר בהיסטוריה. הצעקנות האנטישמית שלו לא נראו יותר כאיומים ריקים מתוכן. מיד עם התמנותו, הוא החל ברדיפת היהודים, שרף את ספריהם, אסר את עבודתם של עורכי הדין היהודיים, פיטר פרופסורים יהודיים מאוניברסיטאות, ובטל את אזרחותם הגרמנית.

בהכירם בסכנה, חלק מהיהודים החלו לעזוב את אירופה. בשנת 1935 הגיעו 69,000 יהודים לפלסטינה, המספר הגדול ביותר של מהגרים אשר הגיעו אי פעם לפלסטינה. תל-אביב אשר עד לפני ארבע שנים הייתה בת כ-50,000 אנשים, שולשה בגדולה. שנת 1936 הייתה עדה לעוד 30,000 יהודים שעשו את דרכם לפלסטינה, ואשר הביאו את סך כל האוכלוסייה היהודית ל-400,000. בנקודה זו דרשו מדינות ערב כי ההגירה היהודית תיפסק ובאופן טרגי, על אף הגברת הרדיפה של היהודים והאיום של היטלר להשמיד את יהדות אירופה, בריטניה הגבילה את מספר המהגרים היהודיים.

לאחר זמן מועט היטלר גילה את תכניתו המטורפת לכבוש את כל העמים האחרים, בהצהירו שהגורל של כל העמים האחרים הינו "לשרת את גזע האדונים."

גל חדש של רדיפות החל, כאשר היטלר הכריח את האנשים היהודיים ללבוש תגי זיהוי, אסר את התעסקותם במסחר ולימודים באוניברסיטאות והגלה אותם לגטאות. בתי הכנסת נהרסו, חשבונות הבנק שלהם נשדדו ובתיהם נהרסו. במנהיג זה שהוא השטן בדמות אדם, אנו רואים את ביטוי השנאה של השטן לישראל, מאחר שהוא ידע את חשיבותה של ישראל בכוונות העתידיות של אלוהים.

אלנבי יורד מהסוס כדי להיכנס לעיר העתיקה של ירושלים כ"צליין" ולא כ"כובש."

אולם זו הייתה רק ההתחלה. לאחר זמן קצר היהודים היקרים נתפסו ונלקחו למחנות עבודה. הזקנים והילדים הושמדו, ומנות האוכל שחולקו במחנות אימים אלה היו קטנות מהמנות הדרושות לגוף להתקיים, חוסרים אלה גרמו לאלפים נוספים לגווע ברעב. רבים נלקחו מחוץ לערים ושם הוכרחו לחפור תעלות שלאחר מכן הפכו לקבריהם שלהם. לאחר מכן בקבוצות של 100, הם הובלו ערומים לפני התעלות ונורו כך שנפלו לתוך הקברים הללו. יום ביומו נרצחו אלפי אנשים בדרך זו. "פשעם" היחיד היה היותם יהודים. הנאצים השתמשו במשאיות עם צינורות להאיץ את ההרג ע"י גזים. כדי למחוק את העקבות של הרצח ההמוני, הגרמנים קברו את

הגופות של אלה אשר רצחו. רב הטובחים הנאצי, הימלר התפאר "השמדת העם היהודי, הפרק המזהיר בהיסטוריה שלנו, אף פעם לא יסופר לעולם." העובדה האירונית היא שאותם תצלומים שנעשו ע"י החיילים כמזכרות חולניות חשפו לעולם את האמת המזעזעת.

אני לא אוהב להזכיר אירועים כאלה. קשה לי להעלות על הדעת שיצורים אנושיים במאה הזאת באירופה יכלו להיות כה אכזריים וברבריים. אולם למען אלה אשר חייהם נלקחו ולמניעת הישנותם של מאורעות אלה חייבים לחזור ולספר את המאורעות.

על אף העובדה שאלפי יהודים נרצחו כל יום, היטלר היה להוט לסיים את המטרה השטנית של השמדת כל הגזע היהודי. לצורך כך נבנו תאי גזים גדולים אשר אפשרו את השמדתם של אלפים רבים בו זמנית. מוזיאון השואה של יד ושם בירושלים מהווה תזכורת אמיתית ומרגשת של עומק התעוב אליו ירד המין האנושי, עוד בדורנו אנו.

סה"כ, יותר משישה מיליונים של יהודים נרצחו בדם קר, שליש מהעם היהודי, כולל מיליון וחצי ילדים.

לא יהיה זה נכון לחשוב שהיו אלה נוצרים אמיתיים אשר עודדו אנטישמיות. ההיסטוריה מראה שנוצרים אמיתיים נלחמו בנאצים, הבריחו מזון לילדים היהודים בגטאות, החביאו משפחות יהודיות, עזרו להם לברוח ואפילו סיכנו ואיבדו את חייהם בעשייתם כך. במשך תקופה נוראית ושחורה זו של ההיסטוריה היו מספר נקודות אור, כמו הצלת היהודים ע"י הדנים, כשמאות סירות דייגים התאחדו בלילה אחד והצילו כמעט את הקהילה היהודית בשלמותה.

הישרדותם של היהודים במשך מאות שנות גלות ופיזור בין העמים של העולם יכולה להיות מוסברת רק ע"י התערבות ניסית. במשך ההיסטוריה האויב הראשי של אלוהים נסה להשמידם אך בסופו של דבר נכשל. פרעה לא היה יכול להטביעם, נבוכדנצר לא יכול היה לשרפם, האריות לא יכלו לאכול אותם, הדגים הגדולים לא יכלו לעכל אותם והמן לא יכול היה לתלות אותם!

"תראה לי נס!" אמר פרדריק הגדול לאיש הכמורה שלו.

"אדוני, אלו הם היהודים!" ענה איש הכמורה.

נפוליאון ביישבו סביב מדורת אש עם הגנרלים שלו לפני קרב הפירמידות, ניהל וויכוח בשאלת הדת. הוא נשאל ע״י המרשלים שלו, שהיו אתאיסטים אם הוא מאמין בקיומו של אלוהים. נפוליאון הצביע על מרשל מסנה, יהודי ואמר : ״רבותיי, הנה הנימוק שאינו ניתן לערעור שאלוהים קיים.״

"אני מכריז בזאת על הקמתה של מדינה יהודית בארץ ישראל,
שידועה כמדינת ישראל."
דוד בן גוריון
14 במאי 1948

5

1948
הקמתה של מדינת ישראל

שחרורה של אירופה חשפה כי הטרגדיה של היהודים הייתה מחרידה יותר מאשר המוח האנושי יכול לתפוס. הסיפורים שאף אחד לא רצה להאמין להם היו כעת עובדות. עצוב לציין שהביורוקרטיה והפחד מפני מדינות ערב מנעו מבריטניה לפתוח את שערי ארץ הקדוש לפליטים היהודים. צ׳רצ׳יל, אשר קודם לכן הבטיח ליהודים בית בישראל, לא עשה דבר ועל אף הופעתו מהמלחמה כאחד המנצחים הגדולים בהיסטוריה, איבד את כוחו בבחירות של יולי 1945.

הממשלה הנכנסת עזרה עוד פחות בהגבילה באופן ניכר את מספר הפליטים היהודים שהותרו להיכנס לארץ הקודש. התמונות העצובות של ספינות מלאות פליטים נעצרות ע״י חיל הים הבריטי ומיד נשלחות חזרה לאירופה היו מקור למבוכה בינלאומית. זה עוד יותר הדגיש את המצוקה של העם היהודי במאבקו למולדת.

החדשות באמריקה הודיעו: ״אוניה נוספת מלאה בסבל אנושי מפליגה לנמל חיפה: אוניית פליטים הובאה ע״י הבריטים אחרי מרדף של יומיים... בני אדם קובצו כבקר... דלתות הארץ המובטחת נסגרו שוב לקורבנות של חוסר האנושיות של בני אנוש לבני אנוש.״ יתכן שהזעזוע הסופי היה כאשר בריטניה החליטו לשלוח את ניצולי השואה מאונית אקסודוס חזרה לגרמניה.

בפברואר 1947 הציגה בריטניה את הבעיה של פלסטינה לאומות המאוחדות. בזמן שחמש מדינות ערביות היו מיוצגות שם, ליהודים, ללא מדינה משלהם היו רק הזדמנויות מוגבלות להצגת טיעוניהם. לכן היהודים היו מאוד ספקנים אם ימצא איזשהו פתרון ממשי. הספקנות ארכה עד לרגע שאנדריי גרומיקו הנציג של ברית המועצות נשא את נאומו המפתיע בדבר *״הזכות של העם היהודי למדינה משלו.״*

UNITED NATIONS GENERAL ASSEMBLY

VOTING SHEET

November 29, 1947.

Country	Yes	No	Abstain	Absent
AFGHANISTAN		X		
ARGENTINA			*	
AUSTRALIA	✓			
BELGIUM	✓			
BOLIVIA	✓			
BRAZIL	✓			
BYELORUSSIAN S.S.R.	✓			
CANADA	✓			
CHILE			*	
CHINA			*	
COLOMBIA			*	
COSTA RICA	✓			
CUBA		X		
CZECHOSLOVAKIA	✓			
DENMARK	✓			
DOMINICAN REPUBLIC	✓			
ECUADOR	✓			
EGYPT		X		
EL SALVADOR			*	
ETHIOPIA			*	
FRANCE	✓			
GREECE		X		
GUATAMALA	✓			
HAITI	✓			
HONDURAS			*	
ICELAND	✓			
INDIA		X		
IRAN		X		
IRAQ		X		
LEBANON		X		
LIBERIA	✓			
LUXEMBOURG	✓			
MEXICO			*	
NETHERLANDS	✓			
NEW ZEALAND	✓			
NICARAGUA	✓			
NORWAY	✓			
PAKISTAN		X		
PANAMA	✓			
PARAGUAY	✓			
PERU	✓			
PHILIPPINES	✓			
POLAND	✓			
SAUDI ARABIA		X		
SIAM				X
SWEDEN	✓			
SYRIA		X		
TURKEY		X		
UKRANIAN S.S.R.	✓			
UNION OF SOUTH AFRICA	✓			
UNION OF SOVIET SOCIALIST REPUBLICS	✓			
UNITED KINGDOM			*	
UNITED STATES OF AMERICA	✓			
URUGUAY	✓			
VENEZUELA	✓			
YEMEN		X		
YUGOSLAVIA			*	

ההצבעה באומות המאוחדות

29 בנובמבר, 1947

הויכוח באסופה הכללית הסתיים עם המינוי של ועדה מיוחדת שתפקידה היה לבקר את פלסטינה, לבדוק את הבעיה ולהציע פתרון. הועדה קראה לסיום המנדט הבריטי, ורוב החברים של האומות המאוחדות הציעו את חלוקתה של פלסטינה בין מדינה יהודית ומדינה ערבית, כאשר ירושלים הייתה אמורה להיות בנאמנות בינלאומית מיוחדת.

בנובמבר 29, 1947 ההיסטוריה היהודית הייתה תלויה על בלימה כאשר הנושא של הקמתה של מדינה יהודית בפלסטינה הגיע להצבעה. יהודים סביב העולם היו מרותקים למקלטי הרדיו במשך שידור בלתי נשכח מהאומות המאוחדות בפלשינג מדוס. ההצבעה, אשר עמדה לחתום את סיום שנות הגלות, ארכה רק שלוש דקות, כאשר העוזר למזכיר הכללי הודיע :

"קוסטה ריקה?"	"כן."
"אל סלוודור?"	נמנעת.
"אתיופיה?"	נמנעת.
"צרפת?"	"כן" (מחיאות כפיים).
"הממלכה המאוחדת?"	נמנעת.
"ארצות הברית?"	"כן."
"ברית המועצות?"	"כן."
"ונצואלה?"	"כן."
"תימן?"	"לא."
"יוגוסלביה?"	נמנעת.
"אפגניסטן?"	"לא."
"אוקראינה?"	"כן."

לבסוף הודיע הנשיא של האסיפה הכוללת של האומות המאוחדות :

"ההחלטה של הועדה המיוחדת עבור פלסטינה התקבלה ב-33 קולות, 13 נגד, 10 נמנעים."

ברחבי ארץ הקודש היו התפרצויות של שמחה וריקודים ברחובות. הכותרות הגדולות של העיתונים קראו : "מידנה יהודית."

גולדה (מאירסון) מאיר פנתה לעם היהודי מהמרפסת של בנין הסוכנות היהודית בירושלים בהצהירה, *"במשך אלפיים שנה השתוקקנו לגאולה. בירא חיכינו ליום הגדול הזה. עכשיו כשהוא כאן, הוא כה עצום ומדהים עד שביטויים אנושיים לא יכולים לתארו."*

דמעות רבות זלגו בעת שירת התקווה. המילים, "להיות עם חופשי בארצנו" קיבלו משמעות חדשה.

יום שישי, 14 במאי, 1948 ראה לא רק את סיומם של 30 שנות שלטון בריטי בארץ הקודש, אלא גם את הקמתה של מדינת ישראל. זה היה יום גדול לישראל כאשר דוד בן גוריון קרא מהצהרת העצמאות :

"בארץ ישראל קם העם היהודי, בה עוצבה דמותו הרוחנית, הדתית והמדינית, בה חי חיי קוממיות ממלכתית, בה יצר נכסי תרבות לאומיים וכלל אנושיים והוריש לעולם כולו את ספר הספרים הנצחי.

לאחר שהוגלה העם מארצו בכוח הזרוע, שמר לה אמונים בכל ארצות פזוריו, ולא חדל מתפילה ומתקווה לשוב לארצו ולחדש בתוכה את חירותו המדינית... אשר תפתח לרווחה את שערי המולדת לכל יהודי ותעניק לעם היהודי מעמד של אומה שוות זכויות בתוך משפחת העמים.

לפיכך נתכנסנו, אנו חברי מועצת העם, נציגי הישוב העברי והתנועה הציונית, ביום סיום המנדט הבריטי על ארץ ישראל, ובתוקף זכותנו הטבעית וההיסטורית ועל יסוד החלטת עצרת האומות המאוחדות אנו מכריזים בזאת על הקמת מדינה יהודית בארץ ישראל, היא מדינת ישראל...

מתוך בטחון בצור ישראל הננו חותמים בחתימת ידנו לעדות על הכרזה זו, במושב מועצת המדינה מזמנית, על אדמת המולדת, בעיר תל-אביב, היום הזה, ערב שבת, ה' באייר תש"ח (14 במאי 1948)."

לאחר קרוב ל-2000 שנות גלות הוחזרו היהודים לארצם המובטחת. בפעם הראשונה באלפיים שנה הורים יכלו להוליד את ילדיהם בארץ חופשית - ארצם שלהם - הארץ אשר חלמו כי יום אחד יחזרו אליה.

אולם לא כל אחד הזדהה ושמח עם החלטת האו״ם! תוך שעות ספורות האומות הערביות פתחו במתקפה, בהודיעם ״זו תהיה מלחמת שמד.״ לולא ארע נס, זה היה קורה מאחר שהצבאות הערביים עלו באופן ניכר במספריהם ובחימושם על הצבא הישראלי הקטן. יתרה מזאת, האומות המאוחדות והמערב לא באו לעזרתה של ישראל. אולם ישראל השיבה מלחמה. היה להם משהו שלערבים לא היה... חוסר ברירה.

הכמעט בלתי יאומן ארע! תחילתו של חיל האוויר הישראלי היה עם מטוס קטן אחד של מועדון טיסה. חיל הים שלו היה מורכב משובר קרח שהומר, בעל שני תותחי 20 מ״מ נגד מטוסים. אלו הוסוואו כך שנראו כמו תותחי 6 אינצ׳ים, והצליחו להטעות את אויביהם. לישראל היו קורבנות כבדים, אך הם הצליחו לעצור את הפלישה מהצפון, המזרח והדרום. לבסוף, ב-24 בפברואר 1949 נחתם הסכם שביתת נשק.

ב-18 החודשים הבאים הגיעו מעל 350,000 יהודים לישראל מכל העולם : 45,000 באו מתימן ; 130,000 מעיראק ; 33,000 מטורקיה ; 20,000 מצ׳כוסלובקיה ; 36,000 מבולגריה ; 7,000 מיוגוסלביה ; 28,000 מפולין ; 35,000 מצפון אפריקה ; 5,000 מסין ; יציאת יהודים מסיבית נהרה מהודו ומארצות אחרות, אשר יחד עם ניצולי השואה חזרו לביטחון של המולדת החדשה. שוב התגשמו נבואות כתבי הקודש.

״כה-אמר אדוני ה׳ הנה אשא אל-גוים ידי ואל-עמים ארים נסי והביאו בניך בחצן ובנותיך על-כתף תנשאנה״

ישעיהו מ״ט, 22

״לכן הנה-ימים באים נאם-ה׳ ולא-יאמר עוד חי-ה׳ אשר העלה את-בני ישראל מארץ מצרים : כי אם-חי-ה׳ אשר העלה את-בני ישראל מארץ צפון ומכל הארצות אשר הדיחם שמה והשבותים על-אדמתם אשר נתתי לאבותם : הנני שלח לדוגים רבים נאם-ה׳ ודיגום ואחרי-כן אשלח לרבים צידים וצדום מעל כל-הר ומעל כל-גבעה ומנקיקי הסלעים״

ירמיהו ט״ז, 14-16

"כי הנה ימים באים נאם-ה' ושבתי את-שבות עמי ישראל ויהודה אמר ה' והשבתים אל-הארץ אשר-נתתי לאבותם וירשוה"

ירמיהו ל', 3

"הנני מביא אותם מארץ צפון וקבצתים מירכתי-ארץ בם עור ופסח הרה ויולדת יחדו קהל גדול ישובו הנה: בבכי יבאו ובתחנונים אובילם אוליכם אל-נחלי מים בדרך ישר לא יכשלו בה כי-הייתי לישראל לאב ואפרים בכרי הוא"

ירמיהו ל"א, 8-9

"ושבתי את-שבות עמי ישראל ובנו ערים נשמות וישבו ונטעו כרמים ושתו את-יינם ועשו גנות ואכלו את-פריהם: ונטעתים על-אדמתם ולא ינתשו עוד מעל אדמתם אשר נתתי להם אמר ה' אלוהיך"

עמוס ט', 14-15

יותר ויותר יהודים מהגלות סביב העולם הצטרפו חזרה לארצם. ראש הממשלה דוד בן גוריון התפטר לזמן מה מפוליטיקה כדי לגרום שהמדבר "יפרח כשושנה," בהביאו אלפי אנשים לפתח את הנגב הצחיח. החלו לצמוח בכל רחבי ישראל כפרים וערים חדשים.

אולם השלום ארך זמן מועט. ההפיכה הצבאית של 1952 שבה גמאל עבדול נאצר הדיח את המלך פרוק, הביאה את עלייתו של דור חדש של מנהיגים עם נטיות צבאיות, אשר היו נחושים בדעתם ומאוחדים בכוונתם לגרום להשמדתה של ישראל.

קרב נוסף פרץ ב-1956 בין ישראל ומצרים, לאחר שהנשיא נאצר פינה את הבריטים והצרפתים מתעלת סואץ וסגר את הים האדום לתנועה ימית ישראלית. שוב, מדינת ישראל הקטנה ניצחה, בהממם את המצרים ובהגיעם לתעלה תוך יומיים בלבד. המלחמה הסתיימה לאחר ארבעים ושמונה שעות. אלפי מצרים נלקחו בשבי כאשר רק ישראלי אחד נתפס ע"י מצרים. יתרה מזאת, טריטוריה נוספת הכוללת את כל חצי האי סיני נכבשה, אשר לימים בחרה ישראל להחזיר למצרים.

מכל העולם, העם היהודי חוזר
לארצו המובטחת.

6

1967
השבתה של ירושלים

מאורע ראשי נוסף ארע ב-1967 - מלחמת ששת הימים.

האם גם זה היה מימושה של נבואה? אנו מאמין שכן.

בדניאל ח', 13-14, כתוב: *"ואשמעה אחד-קדוש מדבר ויאמר אחד קדוש לפלמוני המדבר עד-מתי החזון התמיד והפשע שמם תת וקדש וצבא מרמס: ויאמר אלי עד ערב בוקר אלפים ושלוש מאות ונצדק קדש."*

כפי שכבר ראינו, בספר דניאל, יום בדרך כלל מציין שנה. בהקשר לכך להלן הפרשנות של אלן קלרק אשר נכתבה ב-1825, מאה וארבעים ושתיים שנים לפני שאירוע זה קרה:

"עד אלפיים ושלוש מאות ימים. אני חושב שהכוונה כאן הנה ליום נבואי, ואשר כמו במקומות אחרים אצל נביא זה, צריך לציין מספר זה בשנים. אם נספור שנים אלו מהחזון של צפיר העזים והכבוש של אסיה ע"י אלכסנדר, ראה פס' 5-7, 21) זה היה 3670, 334 לפנה"ס: תוסיף 2,300 מזמן זה והגענו ל-1966 לספירה או 141 שנים מההווה של 1825 לספירה."

אם כן, על פי אלן קלרק אשר כתב ב-1825 רק מתוך המילים של דניאל, טיהור הזה היה אמור להתקיים ב-1966 לספירה. אז מה השתבש? מלומד גדול היה קלרק, אבל הוא לא שם לב לעובדה שכאשר מחשבים תקופה הנמשכת מלפני הספירה ועד לספירה, תמיד אובדת שנה אחת. למשל מ-457 לפני הספירה עד ל-34 לספירה יש 490 שנים. לכן, לפי הנבואה של דניאל השנה הייתה צריכה להיות 1967 - השנה ממדוייקת בה, לאחר כמעט 2,000 שנה בגלות, היהודים כבשו את ירושלים מחדש במלחמת ששת הימים.

האין זה מדהים?

בוא נעיין בספר אחר, זה של בישוף ניוטון הנקרא בשם, *"מחקרים על הנבואות"* (*"Dissertations on the Prophecies"*) אשר הושלם בחמישי לאוקטובר 1754, מאתיים ושלוש עשרה שנה לפני שהמאורעות קרו! בעמודים 286 ו-287 הוא כותב :

"עד כ-2,300 ימים או שנים אני מניח שהם מחושבים מהחזון של צפיר-העיזים, מפלישתו של אלכסנדר לאסיה, (אלכסנדר הגדול היה "צפור-העיזים" הסימבולי של דניאל ח׳). אלכסנדר פלש לאסיה בשנה 3670 לפני ישוע (344 לפנה"ס). 2,300 שנים מזמן זה... היהודים יוחזרו... 2,300 ימים. אין הם יכולים להיות ימים טבעיים אלא חייב להיות ימים נבואיים, או 2,300 שנים."

בעמוד 28, בישוף ניוטון מספר איך המקדש בירושלים היה כבר בזמנו שלו בחורבנו בזה 1700 שנים. הוא דיבר בקשר לחזרה של היהודים ואמר : "הם צופים ואנחנו צופים שסוף סוף ׳קודש הקודשים יטוהר׳ ובזמן שאלוהים יחליט הבטחתו תתממש במלואה."

בישוף ניוטון מצביע שזמן המדידה האלוהי הזה של 2,300 החל עם הפלישה של אלכסנדר הגדול לאסיה הקטנה ב-334 לפנה"ס, כדי להתחיל את בנייתה של האימפריה הגדולה שלו כהתגשמות הנבואה של התנ"ך. הוא מסיק שאלפיים ושלוש מאות שנים מנקודת התחלה זו אנו צריכים לצפות לסיומו עם השבת היהודים וירושלים חזרה בידיהם, ובכך מתחילה תקופת טיהור קודש הקודשים. אלפיים ושלוש מאות שנים מ-334 לפנה"ס מביא אותנו ל-1967. במשך מלחמת ששת הימים ב-5-10 ביוני של אותה שנה, היהודים, כאומה משוקמת, זכו להחזיר לעצמם את ירושלים! בדיוק כפי שהנביא ניבא!

לאחר מספר גובר של התקפות טרוריסטים על גבולות ישראל, מצרים, ירדן וסוריה הודיעו שהן מתכוננות למלחמה נגד "אויבם המשותף." הנשיא נאצר ממצרים ניבא ש"ישראל תיזרק לתוך הים."

לאחר מכן, גירש נאצר את האו"ם מאזורי הגבול והכניס את צבאו למדבר סיני, חתם על הסכם עם מלך חוסיין מירדן והודיע ש"ישראל תוכחד." אבל זה לא קרה.

ב-5 ביוני 1967 מנעה ישראל את הפלישה המצרית ע"י התקפת פתע אשר ניפצה את הכוחות המצריים, הביסה את הסורים מצפון וגם את הירדנים.

הנבואה של דניאל התמלאה עד לשנה המדויקת!

בשישה ימים בלבד ישראל כבשה את חצי האי סיני ממצרים, את הרי גולן מסוריה ואת הגדה המערבית מירדן, כולל את העיר העתיקה של ירושלים.

חיילים יהודים מלאי יראת כבוד עמדו בכותל המערבי התפללו ובכו. שר הביטחון משה דיין קרא, "חזרנו למקום הקדוש ביותר, ממנו לא נפרד עוד!" עם סיום מלחמת ששת הימים, ישראל החזיקה בשטח גדול פי ארבעה מזה שהחזיקה לפני תחילת הקרבות.

האין זה נס, שמדינות ערב עם אוכלוסייה מצטברת של יותר מ-200 מיליון נכשלה לכבוש מדינה קטנה זו של ישראל?

הרבה סיפורים סופרו אודות התערבות ניסית בשדה הקרב. לדוגמא, היה דווח ששני טנקים ישראלים עברו דיונות חול במערב סיני ומצאו את עצמם פנים אל פנים מול יחידה שלמה של טנקים מצריים. המצרים נעצרו, פתחו את הצריחים קפצו החוצה וברחו. החיילים המצריים שנתפסו דווחו, "היו מאות טנקים ישראליים!"

אנו חיים בימים בהם תיאולוגים ליברלים מנסים לעורר ספקות בהשראה של כתבי הקודש. אולם, שוב ושוב הנבואות שנכתבו לפני אלפי שנים נתמלאו עד לפרט הקטן ביותר. כמה מגוחך הוא להציע שאנשים סתם יכלו לנבא גורלות של עמים אלפי שנים לתוך העתיד. זה מודגש עוד יותר ע"י חוסר היכולת של מומחים לחזות מאורעות אפילו מספר ימים מראש.

כך, לדוגמא, יו אס ניוס אנד וורלד רפורט ("U.S. News and World Report" (12 ביוני 1967), שהופץ בדוכני המכירה יום לפני פריצת מלחמת ששת הימים. המומחים הצבאיים המובילים הציגו שניים עשר תרחישים כיצד תסתיים המלחמה. בכל, מלבד אחד, משתיים עשרה התחזיות הם טעו! אולם דברו של אלוהים חזה את כל ההתרחשות הזאת באופן מדויק, יותר מאלפיים שנה לפני קרות האירוע!

הניצחון של מלחמת ששת הימים לא הווה את סופן של הבעיות בישראל. השנה שלאחריה הביאה עמה את שתי שנות מלחמת ההתשה. ב-1972 נרצחו ע"י טרוריסטים ערבים בדם קר אחד עשרה אתלטים ישראלים באולימפיאדת מינכן. ב-1973 ישראל הותקפה שוב, הפעם במשך הצום היהודי של יום כיפור, בזמן שהם הקדישו את עצמם לצום ולתפילה. בלי טלוויזיה או רדיו שיזהירו את העם היהודי, הכוחות המצרים חצו את תעלת סואץ והסורים פלשו לרמת הגולן. שוב, על אף קורבנות כבדים, ישראל הכתה חזרה והדפה את הפולשים, ופעם נוספת כבשה אדמה.

היום, יהודים מ-120 מדינות, הדוברים 83 שפות, שוב הפכו את ארץ ישראל לביתם, בדיוק כפי שמלותיו של אלוהים נבאו.

"כי הנה ימים באים נאם-ה' ושבתי את-שבות עמי ישראל ויהודה אמר ה' והשבתים אל-הארץ אשר-נתתי לאבותם וירשוה"
ירמיהו ל', 3

"והיה ביום ההוא יוסיף אדוני שנית ידו לקנות את-שאר עמו אשר ישאר מאשור וממצרים ומפתרוס ומכוש ומעילם ומשנער ומחמת ומאיי הים"
ישעיהו י"א, 11

שים לב לביטוי "שנית." בנבואה זו שנאמרה לפני שבי בבל, הנביא חוזה מראש שהעם היהודי לא רק שיפוזר מארצו ויכונס ויאסף פעם אחת, אלא פעמיים. הוא מסתכל מעבר לשבי של בבל וחזרתם לירושלים, לפיזור שני גדול יותר ולכינוסם מחדש. מסקנה זו מתחזקת ע"י בחינת רשימת המקומות שמהם יחול הכינוס השני: אשור (כיום בעיקר עירק), מצרים ופתרוס (כל מצרים המודרנית), כוש (בד"כ מזוהה עם אתיופיה), עילם (אירן או פרס), שנער (גם כן עירק של היום), חמת (סוריה), ומאיי הים (מקומות אחרים של העולם הגובלים באוקיינוסים. היום אנו קוראים להם יבשות אחרות).

פסוק זה לא יכול היה להתייחס לשבי של בבל, מאחר שהמאורע בשום אופן לא מתאים לחיזוי. מהמדינות ומהאזורים המנויים כאן לא חזר שום יהודי אחר השבי של בבל. כמו שהנביא מציין, זאת התייחסות לאיסוף עתידי אחרי פיזור "שני."

"ונשא נס לגוים ואסף נדחי ישראל ונפצות יהודה יקבץ מארבע כנפות הארץ"

ישעיהו י"א, 12

ישעיהו מדגיש כי הכינוס מחדש השני יעשה מכל ארבע כנפות הארץ. הוא ממשיך ומדגיש ומורה על שוני בעם הנאסף מזה שהלך לגלות :

"וסרה קנאת אפרים וצררי יהודה יכרתו אפרים לא-יקנא את-יהודה ויהודה לא-יצור את-אפרים"

ישעיהו י"א, 13

בזמן שישעיהו אמר נבואה זו, העם היה מחולק לשתי ממלכות : הממלכה הצפינית בד"כ נקראה ישראל או אפרים והדרומית נקראה יהודה. חלק גדול מהזמן שתי הממלכות האלה נלחמו אחת כנגד ראותה. חוסר האחדות הייתה אחת הסיבות המרכזיות של החולשה אשר השאירה אותם חשופים לפלישות אימפריות של גויים. תחילה נלקחה הממלכה הצפונית שבי ע"י האשורים. לאחר מכן, כעבור כמאה שנים, המלכות הדרומית, יהודה, נלקחה לגלות בבל. ישנה כאן משמעות מיוחדת לישעיהו י"א, 13. ישעיהו מנבא שאחרי שישראל תלך לגלות כעם מפולג, כאשר החזרה השניה תקרה, הם שוב יהיו אומה אחת ומאוחדת. זה מה שאנו רואים היום. היריבות השבטית של שתי הממלכות פסקה. שוב העם היהודי נאסף תחת השם "ישראל."

הנבואה של ישעיהו בקשר לאיסופם מחדש ממשיך בדיוק מדהים, בפסוק הבא :

"ועפו בכתף פלשתים ימה יחדיו יבזו את-בני-קדם אדום ומואב משלוח ידם ובני אמון משמעתם"

ישעיהו י"א, 14

המלה התנכית ל״פלשת״ או ״פלשתים״ היא מאותו השורש שממנו נובעת המלה המודרנית ״פלסטין״ או ״פלסטינים.״ כאשר הפסוק נקרא בזו הדרך, אנו רואים שהעם אשר התאסף מחדש, ירד את גבעות פלשת (הפלסטינים) למערב, לכיוון עזה וסיני. זה כמובן היה בדיוק מה שקרה. הנבואה ממשיכה ואומרת שהישראלים יפנו לכיוון מזרח ומזכיר שלושה מקומות : אדום מואב ועמון. בימינו אלה, שלושת המקומות האלה נמצאים במדינה אחת : ירדן. הנה שוב אנחנו רואים את הדיוק המדהים של נבואות התנ״ך אלפי שנים לפני קרות המאורעות.

״ונפלו לפי-חרב והגלו אל-כל-הגוים וירושלים תרמס ברגלי גוים עד כי ימלאו עתות הגוים.״

לוקס כ״א, 24

<u>מימוש של הנבואה בפרטים הקטנים ביותר מבטיח שניתן לסמוך על המלה של אלוהים. כתבי הקודש אינם ניתנים להשוואה לכל ספר אחד או כתיבה קדושה. אנו יכולים ללכת למלותיו של אלוהים עם בטחון מחודש. שנית, אנו צריכים להיות מוכנים לכך שכל ההיסטוריה מתקדמת לעבר אירוע שיא אחד, ההופעה הקרובה של האדון.</u>

"ונשא נס לגוים ואסף נדחי ישראל ונפצות יהודה יקבץ מארבע כנפות הארץ"

ישעיהו י"א, 12

THE PALESTINE POST

CARL MARX

STATE OF ISRAEL IS BORN

The first independent Jewish State in 19 centuries born in Tel Aviv as the British Mandate over Palestine to an end at midnight on Friday, and it was immediately subjected to the test of fire. As "Medinat Yisrael" of Israel) was proclaimed, the battle for Jerusalem, with most of the city falling to the Jews. At the same time, President Truman announced that the United States would accord recognition to the new State. A few hours later, Palestine was invaded by Moslem armies from the south, east and north, and Tel Aviv was raided from the air. On Friday the United Nations Special Assembly adjourned after adopting a resolution to appoint a mediator but without taking any action on the Partition Resolution of November 29.

Yesterday the battle for the Jerusalem-Tel Aviv was still under way, and two Arab villages were taken the north, Acre town was captured, and the Jewish consolidated its positions in Western Galilee.

Most Crowded Hours in Palestine's History

JEWS TAKE OVER SECURITY ZONES

Egyptian Air Force Spitfires Bomb Tel Aviv; One Shot Down

U.S. RECOGNIZES JEWISH STATE

Proclamation by Head Of Government

2 Columns Cross Southern Border

Etzion Settlers Taken P.O.W.

Special Assembly Adjourns

The Day

דער טאָג

"THE NATIONAL JEWISH DAILY"

אידישע מלוכה

פראָקלאַמירט; נאָמען איז „ישראל"

אידישע ארמיי פארנעמט אראבישען פארט עכו

„הגנה" פארנעמט נאך טיילען פון ירושלים

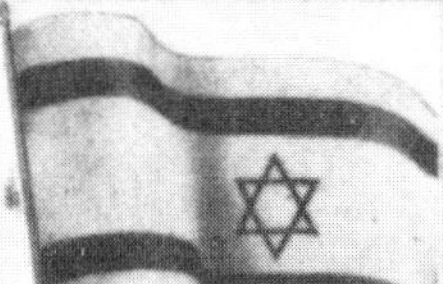

אידען שאפען אפ דאס „ווייסע פאפיר"

נספח 1

ברך את ישראל

"ואעשך לגוי גדול ואברכך ואגדלה שמך והיה ברכה: ואברכה מברכיך ומקללך אאור ונברכו בך כל משפחות האדמה"

בראשית י"ב, 2-3

פרעה נפגע בגלל שלקח את שרי לארמונו (בראשית י"ב, 17). אבימלך התברך ברגע שהצדיק את אברהם (בראשית כ', 17-18). מצרים בורכה כאשר היא "ברכה" את יוסף ואת משפחתו, אבל סבלה מקללה כאשר התייחסה באכזריות לישראל. דבר אלוהים מבטיח ברכה לאלו שמברכים את ישראל וקללה לאלו שמקללים אותה. האם הבטחות אלה של ברכה וקללה עדיין חלים היום? אני מאמין שכן. חברי רוב ריצ'רדס כשלימד במכללה שלי ללימודי כתבי הקודש באנגליה שאל את השאלות הבאות הנוגעות לענייננו.

- האם זה צרוף מקרים שכאשר הקיסר קונסטנטין התחיל בחוקים האנטישמיים שלו ורדף את היהודים ב-364 לספירה, האימפריה שלו התפצלו לשתיים?

- האם זה צרוף מקרים שירידת ספרד ככוח עולמי החל ב-1492, השנה בהן 300,000 יהודי ספרד גורשו?

- האם זה צרוף מקרים שמרטין לותר מת בשבוע בו נשא את הדרשה הארסית ביותר שלו נגד היהודים?

- תחת המלכה ויקטוריה האימפריה הבריטית הייתה הגדולה בעולם. האם היה זה בחלקו עקב היחס החם של בריטניה לאנשים יהודים? לדוגמא, ראש הממשלה, בנימין ד'ישראלי היה בעצמו יהודי משיחי.

- האם הייתה זו התמיכה הארוכה של צ'רצ'יל בעקרון של בית מולדת ליהודים שגרמה לעלייתו מהמדבר הפוליטי כדי להוליך את בריטניה כראש ממשלה?

- האם תרם חלקו בניסיון לחפות את מעשה ההשמדה של יהודי אירופה להפסד בבחירות של 1945, על אף יציאתו מהמלחמה כגיבור?

- האם יש קשר בין ההתנגדות של בריטניה לחזרתם של היהודים לאחר מלחמת העולם השניה ולהתפוררותה של האימפריה שלה?

- האם היה הניצחון המדהים של הרי טרומן על תומס א' דווי בבחירות של נובמבר 1948 תוצאה של ברכת אלוהים לאדם אשר זעזע את העולם בהכרתו המהירה והמפתיעה במדינת ישראל ב-14 במאי 1948, תוך שניות מהצהרתו של דוד בן גוריון?

- האם ברכת אלוהים ושגשוגה של ארצות הברית הנו, בחלקו, תוצאה של קבלתה של אנשים יהודים באופן עקבי יותר מאשר כל מדינה אחרת ואשורה של ארצות הברית כמולדת ליהודים?

שאלות מעניינות. העובדה היא, אלוהים הבטיח ברכה לאלו שמברכים את ישראל וקללה לאלו שלא עושים כן.

"שאלו שלום ירושלים ישליו אהביך"

תהילים קכ"ב, 6

אז, למענך אתה... בכך את ישראל!

נספח 2

תשובתנו

מה צריכה להיות תגובת הנוצרים כלפי ישראל והאנישים היהודים?

A. **לברך את ישראל (בראשית י"ב, 2-3).**

B. **להתפלל למען ישראל.**

C. **להתפלל לשלום ירושלים (תהילים קכ"ב, 6).**

D. **להכיר כמה יקר הוא העם היהודי לאלוהים.**

E. **להעריך את החוב שיש לנו לעם היהודי. הם היו אלה שקבלו את דברי אלוהים, מהם יוצא המשיח שלנו ודרכם, אנו הגויים, שמענו את הבשורה הטובה.**

F. **להתחלק בהעתקים מספר זה עם חברים אחרים של הכנסייה שלך כדי לעזור למאמינים להבין את תכניתו של אלוהים עבור ישראל.**

G. **לחזור בתשובה על גישות עבר, מילים או מעשים אשר עלולים היו להיות אנטישמיים.**

H. **לנהל דיאלוג תוך אהבה וברגישות לשתף באמונתך את חבריך היהודים (ראה אל-הרומאים י', 14-15). זה שונה ממיסיונריות. אולם, יהיה זה אנטישמי אם שיתפת באמונתך את כולם חוץ מאשר את היהודים!**

Dr Gammons with Jerusalem Mayor of 30 years Teddy Kolleck